IL N'Y A PAS
DE PARENT PARFAIT

Du même auteur chez Marabout

Fais-toi confiance. Comment être à l'aise avec soi-même et avec les autres, Poche, 2019.
J'apprends à bien vivre avec mes émotions, 2018.
Je t'en veux, je t'aime. Ou comment réparer la relation à ses parents, Poche, 2005.
L'année du bonheur. 365 exercices de vie jour après jour, 2001, Poche, 2002.
Les autres et moi. Comment développer son intelligence sociale, Poche, 2010.
Cultivons la joie. Ouvrir son champ de conscience au bonheur, Poche, 2019.
L'Intelligence du cœur. Travailler confiance en soi, créativité, relations, autonomie, Poche, 2019.
Que se passe-t-il en moi ? Comment bien vivre ses émotions, Poche, 2019.
Un zeste de conscience dans la cuisine, Poche, 2014.

ISABELLE FILLIOZAT

IL N'Y A PAS
DE PARENT PARFAIT

MARABOUT

Sommaire

À vous, Madame,
qui êtes venue me confier à la sortie d'une conférence :

*« Je n'ai pas osé parler devant tout le monde, mais je voulais venir
vous le dire. Je n'ai jamais aimé ma fille et elle a douze ans.
Quand elle me demande si je l'aime, je lui mens. Je ne peux pas lui
dire que je ne l'aime pas, ce n'est pas vraiment vrai non plus.
Cette personne pendant la conférence avait beau dire qu'on aime à sa
façon, je sais bien, moi, que je n'ai jamais pu aimer ma fille.
J'en souffre tellement. Vous êtes la première personne à qui je le
confie. Merci d'avoir dit qu'une mère pouvait ne pas aimer son
enfant. Vous m'avez permis de comprendre ce qui m'a empêchée
d'aimer ma fille. Vous me redonnez espoir.
Merci pour elle, merci pour moi. »*

Merci de me l'avoir dit, vous m'avez encouragée à lever le tabou.
Aimer n'est pas si simple…

INTRODUCTION

Être parent est une grande aventure. C'est fabuleux... et, osons le dire, très éprouvant, physiquement comme émotionnellement. Chacun rêve ses enfants. Puis ils naissent. Si nous sommes comblés au-delà de nos attentes, tant ils nous apportent de bonheur, il arrive aussi que nous plongions dans le désespoir et l'impuissance. Les nouveaux parents sont souvent démunis devant l'intensité des affects qui les assaillent, la complexité du nouveau monde dans lequel ils pénètrent.

Laurence, assistante maternelle, n'aurait jamais imaginé être déstabilisée à ce point. Patiente, disponible, compétente avec les enfants des autres, face à sa fille, elle se surprend à s'emporter. Elle désespère de ne pas offrir à Lola ce qu'elle a tant donné aux autres et se juge négativement :

« Je ne suis pas une bonne mère. »

Sur les épaules du parent pèsent tant de choses ! Il est responsable de l'éducation, de la protection, de la santé de son enfant. Il se croit même chargé de lui assurer bonheur et succès.

« Quelle chance vous avez », s'exclament les gens quand ils apprennent que votre progéniture a réussi ses études et se marie. Comme si c'était aussi simple ! En vérité, l'immense

11

majorité des parents, y compris ceux qui semblent avoir eu « beaucoup de chance », a peiné, douté, s'est heurtée à des périodes d'opposition, de crise… et d'échecs. Le mythe de l'enfant parfait et du parent qui sait ce qu'il faut faire pour y arriver est entretenu par les nombreux écrits qui expliquent « comment réussir son enfant comme on réussit la recette du gâteau au chocolat »[1].

Si l'enfant ne satisfait pas nos attentes, s'il se révèle imparfait, nous pouvons lui en vouloir de cette image déformée de nous qu'il nous renvoie. Car notre enfant est un peu notre miroir. Nous avons tendance à le considérer comme notre prolongement, comme une partie de nous. Nous projetons sur lui notre personne actuelle et attendons de lui qu'il soit celui que nous aurions aimé devenir. Il porte notre moi idéalisé. Inconsciemment, nous le chargeons de la tâche de restaurer notre image. Alors toute déception nous atteint profondément. Nous sommes particulièrement sensibles à leurs réussites et à leurs échecs. Nous ne l'identifions pas toujours, mais nous avons parfois du mal à prendre le recul nécessaire face aux demandes, frasques ou transgressions de nos enfants, voire à leurs besoins. Les actes que nous posons ne sont pas toujours ni adaptés, ni pédagogiques.

Éduquer n'est donc pas de tout repos. Dans cette tâche, nous ne sommes guère aidés par les « experts », ces pédiatres, pédopsychiatres et autres psychologues assénant des certitudes avec l'air de celui qui sait, des certitudes qui fluctuent en outre au gré des modes. « L'art d'accommoder les

---

1. Billet de Jacqueline Costa-Lascoux présidente de la FNEPE, politologue, directrice de recherche au CNRS, in *L'École des parents,* avril-mai 2006, n° 557.

bébés »[1] varie selon les époques par exemple. « Il faut coucher votre nourrisson sur le ventre. » « Surtout pas, il peut s'étouffer dans son oreiller. » « Pas du tout ! Il faut le mettre sur le dos ! » « Mais non, c'est dangereux s'il régurgite sa nourriture, allongez-le donc sur le côté… » Et il en va de même pour chaque acte journalier : portage, allaitement, sommeil… Pas facile de faire face à la culpabilité quand on ne suit pas les prescriptions en vogue. D'autant que les autres parents semblent si bien se débrouiller ! Les familles des autres paraissent si harmonieuses ! Leurs enfants sont adorables, se tiennent bien, réussissent à l'école… Le mythe de l'enfant parfait se profile de nouveau au coin de la rue. Les mamans surtout se comparent et culpabilisent ; les papas sont globalement conscients de « débuter dans le métier » et, s'ils assument de plus en plus présence et responsabilité face à leur bébé, ils se sentent rarement obligés de tout connaître et de tout maîtriser.

Avant, les choses étaient simples : l'enfant devait obéir. S'il ne le faisait pas, il était puni. Le parent contraignait par la force. Il frappait, punissait, et trouvait cela juste. Les coups, les humiliations n'étaient pas considérés comme des violences mais comme des méthodes éducatives normales. Les choses étaient simples parce qu'on ne se posait pas de questions. Les parents avaient le droit et le devoir de correction. Nous avons hérité d'une tradition d'éducation violente qui a fait la preuve de son efficacité à rendre les gens agressifs ou dépressifs, en tout cas malheureux. Les rares voix qui s'insurgeaient contre la cruauté de ces pratiques et leurs

---

1. Selon le titre d'un livre de Geneviève Delaisi de Parseval et de Suzanne Lallemand, éditions Odile Jacob, 1998.

conséquences en termes de gâchis humain étaient réduites au silence. Seule reste l'idée que les enfants d'hier étaient mieux tenus.

« Les repères ont explosé », est-il d'usage de dire aujourd'hui, même si, en fait de repères, ce n'était que de l'ignorance, voire de l'aveuglement. Une chose est certaine, plus nous apprenons sur la psychologie de l'enfant, moins nous avons de certitudes. Les besoins d'un enfant varient au cours de son développement, ils sont multiples et son psychisme se révèle bien plus complexe que nous ne l'imaginions. Le bébé était autrefois considéré comme un tube digestif et traité comme tel. De nos jours, c'est une personne, que nous ne savons, hélas, pas toujours traiter comme telle. Nous avons conscience que certains de nos comportements vis-à-vis de nos enfants leur font mal et leur font du mal. Il devient de plus en plus difficile de croire en la « bonne fessée » et nous ne pouvons plus nous illusionner en imaginant que les punitions que nous infligeons auraient une quelconque efficacité.

Certains disent que les enfants d'hier étaient plus calmes, plus dociles, plus obéissants… Regardons les choses en face : les doléances des parents concernant le manque de respect des enfants et l'oubli des traditions ne datent pas d'hier. « Notre monde a atteint un stade critique. Les enfants n'écoutent plus leurs parents. La fin du monde ne peut être loin », disait il y a deux mille ans un prêtre égyptien. Sur les murs de Pompéi, on voit encore des graffitis insultant les professeurs. « Notre jeunesse est mal élevée. Elle se moque de l'autorité et n'a aucune espèce de respect pour les anciens. Nos enfants d'aujourd'hui ne se lèvent pas quand un vieillard entre dans une pièce. Ils répondent à leurs parents et bavardent au lieu de travailler. Ils sont tout simplement mauvais », disait Socrate (470-399 av. J.-C.).

La violence à l'école et le manque de respect des jeunes envers les moins jeunes sont loin d'être un phénomène nouveau. De tout temps, des adultes s'en sont plaints. L'idée répandue « c'était mieux avant » est une question de perspective, relevant de l'illusion. Avant, l'enfant était laissé à lui-même avec quelques bouts de bois et le chien. Était-ce plus structurant que les ordinateur, console, téléviseur et autres écrans auxquels il est confié aujourd'hui ? À l'école, les garnements vouvoyaient les professeurs mais tiraient autant de boulettes, noircissaient les murs des WC de leurs dessins salaces et coinçaient les filles dans les toilettes. Peu d'enfants, il y a quarante, trente, voire vingt ans, ont été écoutés et respectés dans leurs besoins. J'ai entendu tant de témoignages de solitude, de blessures et de profond ennui !

Être enseignant au collège en ce début de troisième millénaire n'est pas de tout repos. C'est un fait. Les jeunes d'hier se taisaient devant l'adulte. Les élèves d'aujourd'hui attendent davantage : ils ne veulent plus seulement écouter le professeur. S'ils s'ennuient, ils bougent. Mais ce n'est pas à mon sens parce que leurs parents ne leur auraient pas donné de limites.

Toutes les époques ont cru traverser une crise de l'autorité, le syndrome de « l'enfant roi ». Si quelques parents sont libertaires par conviction, laxistes par défaut d'affirmation ou surtout de présence, la plupart des familles en France restent autoritaires. Les statistiques[1] le prouvent : 84 % des parents français frappent encore leur enfant pour le faire obéir et

---

1. Enquête SOFRES menée en 1999 pour l'association Éduquer sans frapper. Seulement 16 % des personnes interrogées ayant des enfants ne leur donnent jamais de coups, 33 % en donnent rarement et 51 % en donnent souvent.

30 % très sévèrement ! Les études[1] sembleraient même aller dans le sens d'une augmentation de la violence parentale en raison du stress et de l'épuisement des mères.

De nos jours, l'attitude dite permissive est volontiers conspuée : on aurait trop respecté les enfants, confondant respect de l'enfant et crainte de son opposition ou simplement de ses émotions. De nombreux pédiatres et même des psychiatres se font les avocats d'un retour à l'autorité, voire aux châtiments corporels. La réflexion est un peu courte, ce qui ne l'empêche pas de remporter un certain succès, nous en comprendrons les raisons dès le prochain chapitre. Si crise d'autorité il y a, il s'agit davantage de notre manque d'autorité intérieure, de notre manque de conscience de nous-même que d'un défaut d'autoritarisme. Nous le verrons, les parents sont d'autant plus autoritaires qu'ils sont peu sûrs d'eux. Les enfants d'hier étaient élevés dans la crainte. Ceux d'aujourd'hui ont moins peur, c'est vrai. Ils sont plus informés, plus stimulés, ils n'ont aucun besoin que leurs parents deviennent plus autoritaires.

La vie psychique des enfants est complexe. La vie psychique des adultes aussi. La relation entre les deux, plus encore. Nos enfants nous parlent de nous. Qui sont-ils ? Leur histoire commence par la nôtre. L'enfant porte en lui tout son arbre généalogique. Il est habité par l'histoire inconsciente de la famille, manifeste des émotions parfois refoulées depuis plusieurs générations. Nos réactions à leur égard ne peuvent être neutres. Leurs émotions sont influencées par les nôtres, conscientes et inconscientes. Nous agissons sur eux, ils réagissent et nous réagissons à leurs réactions… Impossible de

---

1. www.naturalchild.org.

ne pas tenir compte de cette boucle pour comprendre ce qui se passe entre eux et nous.

Toute doctrine simpliste du genre « il faut, on doit » excluant la dimension de l'inconscient paraît dès lors suspecte. Il se passe toutes sortes de choses entre un parent et son enfant. Les tenants du retour à l'autorité ne retiennent en général dans leur analyse que la dimension phénoménologique, c'est-à-dire celle qui est de l'ordre de l'observable. Or l'éducation d'un enfant implique beaucoup de monde. On croit être deux, père et mère. Au moins quatre autres personnes supplémentaires influent directement ou indirectement sur l'enfant : les grands-parents. Qui ne s'est jamais surpris à utiliser le même ton autoritaire, les mêmes injures ou dévalorisations que celles de ses parents ? Celles-là même que pourtant nous nous étions engagés à ne jamais prononcer tant elles avaient été blessantes. Nous nous retrouvons parfois comme mus par des automatismes qui nous dépassent et désarmés devant nos propres réactions.

La dimension systémique est trop souvent omise dans les manuels distillant des conseils aux parents. Relation à l'enfant, mais aussi entre le père et la mère, entre les parents et leurs parents et beaux-parents respectifs. Sans oublier la force de l'inconscient, des non-dits, des secrets, des émotions refoulées, des rancœurs, des douleurs inexprimées qui habitent la famille. Tout cela joue un rôle.

L'enfant intérieur du parent est là aussi : celui que le parent était quand il était petit. L'enfant en face de nous évoque celui que nous étions, fût-ce inconsciemment. La naissance d'un bébé remet l'écheveau de notre histoire sur le métier. Nos émotions s'entremêlent : une blessure restée inconsciente, et c'est le nœud inextricable. Tout ce qui avait été passé sous silence jusque-là se met à hurler en nous. Notre propre enfance reparaît par flash-back ou, plus ennuyeux, hors de notre conscience, altère nos perceptions et guide nos attitudes envers nos chérubins.

Il y a toutes sortes de parents. Certains acceptent de faire face aux abîmes de perplexité devant lesquels les placent leurs rejetons. D'autres simplifient la question en optant pour l'autoritarisme, avec tout de même un arrière-goût de « ce n'était pas comme ça que je me voyais parent ».

Qu'est-ce qui préside au style éducatif que nous allons promouvoir ? De la naissance à dix-huit ans, l'éducation des enfants est un sujet qui monopolise les conversations. Il y a les fervents de la fessée, ceux qui ne jurent que par les limites et ceux qui prêchent l'écoute de l'enfant. Ceux qui punissent et ceux qui préfèrent sanctionner et responsabiliser. Ceux qui imposent un ordre strict et ceux qui prônent la démocratie familiale. Ceux qui laissent pleurer et ceux qui accourent. Le paysage parental est varié. Comment se repérer ? Savoir ce qui est juste ?

En réalité, des repères, nous en avons bien plus que dans le passé. Nous savons énormément de choses sur la croissance, les besoins de l'enfant, sur son cerveau, son intelligence, mais aussi son affectivité. Dans leurs laboratoires, les scientifiques ont mené de multiples observations et expériences. Ils ont fait des découvertes qui mettent à mal les anciennes croyances. Ils ont mis en évidence les avantages et inconvénients des différentes méthodes éducatives.

Mais il semblerait que ces études ne soient pas lues ou pas entendues. Et, quand elles le sont, il n'est pas rare qu'elles soient balayées d'un trait d'ironie. La science dérange ! Nous ne voulons pas de ces nouveaux repères qui remettent en cause nos habitudes, nous contraignent parfois à nous sentir mauvais. Nous préférons continuer à adhérer à nos croyances en dénigrant les résultats obtenus par les chercheurs.

Peu de domaines véhiculent autant de poncifs éculés. Dans la sphère de l'éducation, l'irrationnel règne encore en maître. Et ce même chez les experts que sont les pédopsychiatres ou les psychologues, que l'on aurait espérés plus scientifiques ! Chacun y va de son analyse personnelle et se permet d'énoncer des lois comme si elles étaient évidentes, alors même qu'ils ignorent statistiques et études comparatives sur la question. Plutôt que de nous juger, allons un peu plus loin dans la compréhension de ce phénomène. Il y a des raisons à cet état de fait.

En termes d'éducation, chacun a des idées bien arrêtées, même s'il en changera probablement plusieurs fois au cours de son existence, surtout s'il a des enfants. Il y a les pour et les contre concernant chaque geste quotidien. Dans les couples, c'est LE thème des conflits. Il arrive que les désaccords mènent jusqu'au divorce. La question agite aussi les rapports parents et beaux-parents. Les convictions affirmées s'expriment dans un silence poli ou déclenchent de vives discussions au point que le sujet devient tabou dans les réunions de famille. Impossible de discuter tranquillement. Les positions semblent inconciliables et l'énergie mise à les défendre est démesurée. La virulence des débats surprend. Pourquoi tant de flamme ? Nous le verrons : au-delà des théories, il y a notre histoire. Une telle passion a ses raisons. Nos comportements parentaux sont certes modelés par les tendances de notre époque et les diktats des pédiatres et autres psys en vogue… Mais ce n'est que surface. Il y a souvent un fossé entre ce que nous professons et ce que nous faisons. Nous devons en convenir, nos attitudes éducatives ont peu à voir avec la science, l'expérience ou la raison. Certains en souffrent, lisent, s'informent et cherchent. D'autres, parce qu'ils n'arrivent pas à affronter l'inconfort lié à ce décalage, plus blessés ou n'ayant pas encore identifié leurs blessures refoulent leurs émotions et opposent un front uni à leurs affects. Nous semblons agir selon nos valeurs. En réalité, nous professons des valeurs adaptées à notre façon d'agir.

Par moments, tout va bien, la famille nage dans le bonheur partagé. Tout à coup, le ton monte. Un comportement ou un mot de l'enfant déclenche une tornade : « Qui m'a donné un gamin pareil ? » La relation aux enfants est marquée par des hauts et des bas vertigineux. Si les premiers sont racontés aux amis, à la famille, partagés dans la joie, les seconds sont plus ou moins passés sous silence, parce que culpabilisants et trop douloureux.

Parce qu'ils n'ont personne à qui dire, à qui se confier sans être jugés, les parents aux réactions impulsives risquent de s'enfermer dans le secret et de se trouver piégés dans une dynamique qui peut les pousser jusqu'à la maltraitance. D'autres, refusant d'être violents, peuvent être très déprimés par ce qui leur arrive. Il y a ceux qui décident d'entamer un travail psychothérapeutique, et ceux qui ne parlent pas – même pas à eux-mêmes – de ce qui se passe à l'intérieur d'eux. Ils se contentent de fuir l'intimité avec leurs enfants, s'enferment dans une politique éducative rigide, glissent dans la dépression ou s'investissent doublement dans leur travail.

Oui, parfois, nos petits chéris nous rendent fous. Bébés, ils ne dorment pas comme prévu, régurgitent le bon lait, pleurent sans raison apparente pendant des heures… Un peu plus grands, ils se roulent par terre, refusent de mettre leurs chaussures, mordent leur petit frère. De l'école, ils rapportent notes catastrophiques et remarques désagréables des enseignants. Du début à la fin, leur chambre est un capharnaüm, lequel parfois s'étend jusqu'au salon. À l'époque de l'adolescence, quand les hormones s'en mêlent, nous recevons des bordées de mauvaise humeur, puis ils s'enferment à clé dans leur chambre avec la musique à fond...

Tout cela, nous le savions. Nous nous disions que nous ferions mieux que les autres, mieux que nos propres parents... pour déchanter. La vie avec un enfant met les nerfs à rude épreuve. Le bruit de ses cris, le désordre, ses besoins jamais satisfaits, sa résistance à nos demandes, tout cela est épuisant. Certes. Mais qu'est-ce qui nous éloigne de nos enfants au point que parfois sa simple présence soit stressante ? Il n'est pas si simple d'aimer un enfant. Tant de dynamiques complexes s'entrecroisent pour compliquer les choses... Il fallait commencer à se pencher sur la question. Inutile d'écrire un énième livre sur l'éducation, bourré de « il faut » et de « yakafokon ». Il s'agissait d'abord de faire le clair sur ces ressorts inconscients qui prennent le pouvoir. Que se passe-t-il en nous, parents, face aux bêtises, déceptions, transgressions, mais aussi aux émotions et besoins de nos enfants ?

En tant que maman, je me suis observée et interrogée. En tant que psychothérapeute, j'ai entendu tant de parents aux réactions allant d'un extrême à l'autre. Des parents démunis devant l'intensité de la violence dont ils étaient parfois les otages, des parents surpris par leurs propres attitudes, des couples déchirés par leurs oppositions sur les questions éducatives, des parents en larmes, des parents en colère, des parents inquiets... J'ai voulu dire ici ce qui d'ordinaire reste tu. Les phénomènes de répétition de sa propre histoire sont bien connus, mais on en parle rarement. Il est commun de fustiger les « mauvais parents ». Mon propos est différent. Loin de nous juger comme bons ou mauvais, il s'agit de mieux comprendre ce qui se trame en nous et nous empêche d'être les parents que nous aimerions être. L'objectif de ce livre est de proposer des pistes pour permettre à chaque parent de reprendre la maîtrise de ses comportements.

Il est découpé en quatre parties.

– Dramatisation, culpabilisation, réactions impulsives, justification…, nous regarderons tout d'abord ce que nous vivons face à nos enfants. Pour l'immense majorité des parents, nos enfants sont ce que nous avons de plus cher au monde. Le sourire d'un enfant illumine l'instant. Le regard d'un bébé nous émeut. Le rire d'un bambin fait fondre… Pourtant, il nous arrive de les blesser et même de les haïr. Dans la première partie, nous nous pencherons sur l'envers de la médaille, sur nos difficultés, nos zones d'ombre, nos hontes, la blessure de ne pas être le parent que nous aurions tant aimé être.

– Nous décortiquerons les causes de nos excès dans la deuxième partie. Nos réponses aux comportements de nos enfants parlent davantage de notre histoire, de notre propre enfance, que des adultes que nous sommes devenus. Cependant, toutes nos réactions excessives vis-à-vis de nos enfants ne viennent pas de notre histoire lointaine. Rien n'est si simple dans la vie. Et tout comportement est multicausal. Au cours de la deuxième partie, je vais artificiellement séparer les causes physiques, psychologiques, sociales, les dynamiques du présent et celles qui nous viennent de notre passé. Il est important de se souvenir que, dans la vie réelle, plusieurs causes se juxtaposent et que c'est souvent la convergence de plusieurs origines qui rend nos comportements si tenaces et si difficiles à modifier. J'espère, dans les pages qui suivent, vous convaincre que la complexité n'est pas forcément compliquée et qu'en revanche le simplisme nous complique souvent la vie !

– Dans une troisième partie, nous suivrons les âges de l'enfant. Tous les parents n'ont pas de difficultés avec tous les âges, et chaque âge présente de nouveaux défis. De la naissance au jeune adulte, nous suivrons l'évolution de nos enfants, et surtout la nôtre, face à eux.

– Ce livre vous convie à un voyage intérieur. Comprendre, c'est bien. Changer, c'est mieux. La quatrième partie est un livret pratique pour vous coacher au quotidien et réparer les erreurs déjà commises. En dépit de la formule choc d'un titre de livre connu[1], tout n'est pas joué avant six ans. Les enfants réagissent très vite à nos changements d'attitude. Il est toujours temps de réaménager une relation.

Choisissez-vous un joli cahier dès maintenant : vous y consignerez vos difficultés comme vos réussites. Il sera là pour accueillir vos fureurs, vos larmes, vos sourires et pour vous aider à garder le cap en cas de découragement. Ce sera votre carnet de bord.

Faut-il se montrer tolérant envers soi-même en tant que parent ? La tolérance envers ses propres comportements destructeurs et le sentiment de culpabilité sont en réalité souvent concomitants. Je préfère militer pour remplacer la tolérance par un vrai respect de soi. C'est-à-dire, sans tolérance aucune, regarder ses comportements excessifs comme tels, mais sans jugement sur sa personne. On peut se dire : « Si j'agis comme je le fais, c'est que j'ai des raisons pour cela. Reste à découvrir ces raisons pour mieux retrouver ma liberté de me comporter comme je le désire vraiment. »

Je vous invite donc à vous confronter à votre réalité dans les pages qui suivent sans tolérance aucune mais avec respect, voire tendresse, envers vous-même.

---

1. *Tout se joue avant six ans,* Dr Fitzugh Dodson. Il semblerait que le titre français soit un raccourci erroné de la pensée de l'auteur, le titre original est *How to parent.*

PREMIÈRE PARTIE

LE PARENT FACE À SON ENFANT

Nos enfants sont… nos enfants. Face à eux, nous aimerions nous comporter en adultes que nous sommes, en parents, leur assurer protection, tendresse, et soutien en toutes circonstances, savoir les guider dans ce monde pour qu'ils deviennent des adultes à leur tour, autant que possible des hommes et des femmes heureux et bien dans leur peau. Nous nous sentons responsables de leur éducation et désirons la mener au mieux… Mais il nous arrive de ne pas remplir cette mission. Certains parents « disjonctent » ponctuellement. D'autres crient sans cesse. Certains s'en sortent plutôt bien avec leur nourrisson, mais ont plus de mal dès que le bambin commence à s'opposer. Pour d'autres, c'est le contraire, ils sont démunis face à cette immense dépendance du nouveau-né, mais très à l'aise dès que leur petit s'exprime. Certains ont plus de facilité avec les filles, d'autres avec les garçons, certains avec les plus jeunes, d'autres avec les ados. Certains réservent les traitements les plus durs à un seul des enfants, le reste de la fratrie étant épargné. Certains parents sont en colère en permanence, d'autres sans cesse inquiets. Il nous arrive de réagir excessivement ou de nous sentir tout à fait démunis, de donner des punitions inutiles, de prendre la mouche « pour un rien » ou au contraire de nous paralyser face à nos enfants…

Qu'est-ce qui nous empêche parfois de nous comporter comme nous l'aimerions face à nos enfants ?

1. LA TENDANCE À LA DRAMATISATION

Au cours d'un dîner, un convive renverse son verre de vin… Vite, nous nous précipitons pour éponger et le rassurer : « Ce n'est pas grave. » Que se passe-t-il s'il s'agit de notre enfant ? Soyons honnêtes, nous avons plutôt tendance à le lui reprocher : « Tu ne peux pas faire attention ? », « Et voilà ! Il ne manquait plus que ça », « Tu crois que je n'ai que ça à faire, nettoyer ? ». Au sein de la famille, un verre renversé prend vite des allures de cataclysme !

En fait, dès lors qu'il s'agit de nos enfants, il semblerait que tout prenne une autre dimension. Nous avons tendance à minimiser ou excuser le comportement des enfants des autres et à majorer celui des nôtres. Le petit garçon de neuf ans d'une amie oublie de fermer la bonde de la baignoire avant d'ouvrir l'eau : une demi-heure plus tard, le bain n'est évidemment toujours pas prêt, puisque l'eau s'est écoulée. Vous l'excusez et freinez l'ardeur de son père à le punir. Vous le défendez même : « C'est pas grave, ça arrive, il n'a pas fait attention » Le vôtre au même âge fait la même « bêtise », vous êtes exaspéré par son manque d'attention. Il faut l'avouer, nous sommes prompts à pardonner aux autres ce que nous n'acceptons pas de nos propres enfants. Avec les autres, nos réactions ont tendance à être plus mesurées, plus sages et donc plus efficaces.

Que ce soit par rapport à leurs « bêtises », à leurs résultats scolaires, à leurs comportements, la plupart des parents ont tendance à perdre le sens des proportions. Une mauvaise note et c'est le spectre du redoublement, voire du chômage… Il n'a pas mis le couvert, il laisse traîner ses chaussures dans l'entrée, il a oublié sa veste au collège ou son livre de maths et il ne peut pas faire ses devoirs, il refuse de manger ses petits pois ou son poisson, il dépasse le temps imparti sur l'ordinateur… et ce sont les hurlements : « Qui est-ce qui m'a donné un enfant pareil ! »

Le parent se justifie : « Ce n'est pas la première fois, je lui ai déjà demandé gentiment, c'est toujours pareil. » On entend que ce dernier problème n'est que « la goutte d'eau qui fait déborder le vase ». Est-ce bien vrai ? N'y a-t-il pas autre chose qui fait monter en nous cette exaspération quand nos enfants ne se comportent pas comme nous l'attendons ? On dirait que le parent est sommé de réagir avec force. Les « fautes » et les « bêtises » de nos enfants nous plongent dans une tension extrême nous menant nous-mêmes à proférer des bêtises : « Hugo, viens ici tout de suite. Si tu ne te montres pas à trois, tu vas recevoir la fessée de ta vie ! » En condensé, tant de choses dans cette phrase qui n'est inconnue à personne. Qu'a donc fait Hugo de si grave pour mériter la « fessée de sa vie » ? Qu'a-t-il fait déjà pour pousser sa maman à le menacer d'un châtiment corporel ? Je regarde la victime, Émeline. Ni ecchymose, ni sang, elle court vers ses copines… Bousculée par son frère, elle est tombée et a couru se plaindre à sa mère. Voici donc la grande faute d'Hugo. La bousculade, certes, mérite sanction mais surtout élucidation : qu'est-ce qui motive cette agressivité du frère envers la sœur ?

« La fessée de ta vie »… La menace est clairement dispro-portionnée. Quel crédit peut apporter Hugo aux dires de sa mère ? Les fessées sont inefficaces, les menaces de fessée aussi, et que dire des menaces exagérées qu'on ne met pas à exécution... Pourtant, presque tous les parents connaissent ces excès, ces abus de langage et parfois de pouvoir que sont les coups. Nos réactions émotionnelles nous dépassent. Elles nous mènent à des attitudes éducatives qui ne sont pas toujours celles que nous professons. Il nous arrive presque tous de sortir ainsi de nos gonds pour des événements qui ne justifient pas une telle ire. Nous le savons et cela ne manque pas de nous culpabiliser.

« C'est de sa faute ! Il m'a poussé à bout, il n'écoute jamais, il a un poil dans la main, il a ça dans le sang, il est insupportable... » Pas facile d'assumer ses écarts de langage ou de comportement. En général, nous projetons la responsabilité sur l'enfant.

Bizarrement, malgré l'inefficacité patente de nos cris, nous ne cessons pas ! Qu'est-ce qui nous pousse à poursuivre dans cette voie alors même que nous sommes conscients qu'elle ne mène qu'à l'insuccès ? « Je sais bien que ça ne sert à rien, mais je ne peux pas m'en empêcher. » D'autres ne cherchent pas à s'en empêcher : ils justifient leurs cris, ne remettent pas en cause la pertinence de leur style éducatif, bien qu'eux aussi constatent l'inanité de toute attitude répressive. Leurs remarques en sont la preuve : « Il ne change pas, c'est toujours pareil, j'ai beau faire, le punir, etc., il recommence... »

Il se passe quelque chose en nous qui nous dépasse, et dépasse la réalité des faits reprochés à l'enfant. Avons-nous des réactions intenses parce que nos enfants exagèrent ou exagérons-nous leur faute pour justifier l'intensité de notre réponse émotionnelle ?

2. LES PAPAS SONT-ILS DIFFÉRENTS DES MAMANS ?

Nous, les mères, avons tendance à une certaine dramatisation. Nos maris souvent nous le reprochent... Mais des études[1] ont montré qu'ils sont atteints de la même « maladie » dès lors que c'est à eux qu'incombe la gestion du quotidien. La dramatisation semble donc inhérente à la fonction.

C'est un lieu commun que de dire que les papas sont moins sensibles, et que les mamans dramatisent au moindre bobo. On voudrait y voir une différence biologique entre homme et femme. Or les pères à la maison – il y en a de plus en plus – manifestent la même hypersensibilité et dramatisent tout autant que leur femme. Ce sont des adaptations intrinsèques à la fonction « s'occuper de bébé ».

Il semblerait que si les hommes réagissent avec moins de sensibilité à ce que vit l'enfant, s'ils pensent souvent « ce n'est pas grave », « ça va s'arranger », ce soit seulement parce qu'ils le connaissent moins. Ils sont moins proches de lui et mesurent mal ses compétences et ses besoins. À cela s'ajoute la tendance toute masculine à chercher des solutions, prendre

---

1. Serge Ciccotti, *100 Petites Expériences de psychologie pour mieux comprendre votre bébé,* Dunod.

les choses à bras-le-corps, se montrer fort et rassurer leur femme… Ils prennent rarement le temps d'apprécier la difficulté. Une étude[1] a été menée sur des pères de bébés âgés de trois mois. Statistiquement, les hommes estiment mal les possibilités de leur tout-petit. Il leur arrive même de proposer déjà des punitions corporelles pour modifier des comportements dont on sait qu'ils ne sont pas sous le contrôle d'un enfant de cet âge !

La discipline est le sujet de querelles le plus fréquent dans les couples. Et, tant que les véritables motivations de chacun ne sont pas révélées, les discussions sont sans fin, conflictuelles et douloureuses.

L'expérience et des études scientifiquement menées montrent qu'il vaut mieux faire confiance à celui qui s'occupe prioritairement de l'enfant. Mais, hélas, c'est fréquemment l'autre qui a le pouvoir dans le couple. Parce que c'est lui qui travaille à l'extérieur et ramène l'argent, et aussi parce qu'il a des idées très claires sur ce qui doit et ne doit pas être fait. Tandis que celui qui est avec l'enfant au quotidien doute, tant la confrontation avec le réel fait exploser toute certitude. Dans notre société, le doute est malheureusement moins valorisé que le savoir. Celui qui « sait » est volontiers supposé avoir raison ! Les conflits autour de l'éducation viennent du fait que chacun cherche à avoir raison sur l'autre. Or se positionner en termes de tort ou de raison n'est pas très efficace. Analyser ensemble les besoins et la réalité de l'enfant, faire des essais, douter, chercher sont des approches plus productives.

Quand l'un des deux parents est plus sévère que l'autre, il demande en général au second de le soutenir, de ne pas le

---

1. Plus d'infos sur le site http://www.niclaquesnifessees.org.

contrer, pour ne pas saper son autorité. Il est à noter que c'est rarement l'inverse. Il est rare d'entendre : « Lorsque j'écoute notre fils pour l'aider à mettre des mots sur ce qui le bloque, je te demande de ne pas intervenir pour ne pas saper la qualité de ma relation à lui. » Si le plus autoritaire a besoin qu'on se range à ses côtés, c'est bien parce que sa position est faible et ne tient que par l'abus de pouvoir. La sensibilité venant à ceux qui s'occupent de l'enfant au quotidien… pourquoi ne pas inviter le plus rigide à changer de rôle une semaine ?

3. IMAGE DE SOI ET POIDS DE LA CULPABILITÉ

Une cinquantaine de tables sur la pelouse, nous mangeons, parlons et rions. Tout à coup une pluie de petits cailloux sur mon dos... Je me retourne et découvre une petite fille d'environ deux ans, encore tout étonnée des conséquences de son geste. Toute la table la gronde. Son père surtout la tance vertement, quoique à voix basse.

Je la vois interdite face à cette réaction, dont elle ne comprend pas l'intensité. Elle jouait, n'avait pas conscience de faire mal... Alors elle fait ce que tout enfant de son âge fait quand il ne comprend pas, quand il est perdu : pour comprendre ce qui s'est passé, elle va reproduire son geste... Elle reprend une poignée de cailloux en regardant son père bien droit dans les yeux.

Parce qu'ils ont oublié leurs émotions d'enfant, nombre de parents prennent cette attitude pour de l'effronterie, ne mesurant pas que c'est bien la démesure de leur colère qui est à l'origine de la répétition du comportement, de cette tentative de maîtrise de l'incompréhensible.

Voyant le père froncer les sourcils en regardant sa fille, je suis vite intervenue... « Elle n'a pas voulu faire mal, elle a dû être surprise... » Le père s'est tourné vers moi : « Vous avez des cailloux dans votre assiette ? » « Ça va, j'en ai juste reçu un peu dans le dos. » Nous avons échangé quelques mots, juste le temps de faire baisser la tension et de permettre à la petite fille d'entendre que les cailloux lancés avaient atteint quelqu'un. Elle a alors lâché ses cailloux.

En public, tout se complique : le regard des autres est là, il faut que nos enfants se tiennent bien ! Nous supportons d'autant plus mal leurs écarts que nous imaginons que ce regard extérieur est sévère. Avons-nous si peur du jugement ? Comme si les frasques de nos enfants parlaient de nous. Plus qu'une simple bêtise, l'enfant abîme notre image ! Nous imaginons l'opprobre jeté sur nous. Quand l'enfant se fait remarquer, le sentiment de culpabilité du parent n'est jamais bien loin.

Il est vrai qu'en public ou en privé le poids de la responsabilité est lourd sur les épaules du parent. Une quinte de toux, et nous accusons l'enfant de ne pas avoir pris soin de lui : « Tu n'as pas mis ton manteau hier… Tu vois bien… » Autant de tentatives de culpabilisation de l'enfant pour tenter de calmer notre propre sentiment de culpabilité. Il est vrai que nous sommes imprégnés d'une culture de la faute. Face à un dégât quelconque, la question qui fuse automatiquement est bien plus souvent « Qui a fait ça ? » que « Comment faire pour réparer ? ». Comme si l'identification du coupable était plus importante que la résolution du problème. Nous pâtissons tous les jours de cette conception.

Le besoin de « faire bien », la crainte du jugement d'autrui ou notre propre jugement sur nous-même nous empêche parfois d'appréhender la réalité et peut nous mener à manquer de discernement, voire à commettre des injustices.

Prenons l'exemple de parents apprenant que leur fils frappe un de ses copains à l'école… S'ils ont suffisamment de sécurité intérieure, ils vont se demander : « qu'est-ce qui se passe ? », et se mettre à l'écoute de leur gamin. S'ils sont fragilisés par un drame personnel ou par leur propre histoire, leur réaction peut être tout autre. Ils peuvent nier. Parce que la confrontation est trop douloureuse, ils préfèrent ne pas envisager la réalité : « C'est faux, je n'ai pas élevé mon fils comme ça, c'est impossible, c'est vous qui mentez. » Ils obligent leur enfant à refouler, à mentir pour ne pas décevoir. D'autres, à l'inverse, ne supportent pas l'idée que leur enfant soit victime. « Non, il n'est pas frappé par les autres, il se défend ; n'est-ce pas, Cyril, que tu te défends ? » Et l'enfant de baisser les yeux. Lui aussi va mentir à ses parents. Comment les décevoir ? Ces parents-là, surprotecteurs en apparence, sont dans une telle nécessité d'idéaliser leur enfant, et de se voir eux-mêmes comme bons parents, que cela prime sur le reste. L'enfant se sacrifie sur cet autel et refoule ses émotions. Il perçoit qu'il n'a pas le droit d'être lui-même. Il est… le prolongement de ses parents, cette image idéalisée. Pour ces parents, aimer et idéaliser sont synonymes. Le déni de la réalité est un refuge pour ne pas souffrir.

Les parents peuvent s'accuser… C'est forcément ma faute… Qu'est-ce que je n'ai pas su faire ? N'est-ce pas parce que nous avons divorcé son père et moi ? Ai-je été trop sévère ou trop coulante ? Les questions assaillent la maman, car ce sont surtout les mamans qui utilisent cette défense. La blessure narcissique peut être telle que le parent peut en venir par ricochet à en vouloir à l'enfant de lui donner une si piètre image de lui-même. C'est alors une course à la dévalorisation. Pour ne pas agresser son enfant, le parent se dévalorise, se diminue, s'attribue toute la faute… L'enfant ainsi déresponsabilisé, exonéré, est dépouillé de lui-même.

Les parents peuvent aussi sévir. Le parent démuni cherche la faute, c'est moi ou lui... Il se culpabilise ou accuse le petit. Certains parents, trop désarmés, seront tentés par la violence. Ils vont punir, frapper, pour tenter de reprendre le pouvoir sur un enfant qui leur échappe. Ils frapperont d'autant plus fort qu'ils lui en voudront de les mettre ainsi en difficulté, de les « obliger à le frapper ou à le punir ». Ils peuvent accuser leur enfant : « Tu es insupportable, tu as le diable au corps. » Nous avons beau aimer nos enfants parce qu'ils sont nos enfants, quand ils nous exaspèrent, nous paraissent incompréhensibles ou tout bonnement insupportables, le risque de poser sur eux étiquettes et jugements est alors élevé.

Les définitions « il est lent », « il est hyperactif », « il est... » constituent une tentative de lutte contre la blessure narcissique. C'est pour le parent une manière de faire porter à l'enfant la responsabilité de ce qui arrive et par là de s'en dégager. Hélas, ce faisant, l'adulte éloigne l'enfant de son cœur. En outre, les enfants ont tendance à répondre aux définitions que nous leur donnons d'eux. Ils se conforment à nos attentes ! Leur cerveau interprète nos commentaires et jugements comme des ordres. D'une part, stressé par l'idée de déplaire à son parent, le gamin devient forcément plus lent. D'autre part, ce que dit de lui son parent, qui est un adulte donc *a priori* qui sait mieux que lui, devient son identité. Si le parent le dit, c'est que c'est ainsi qu'il doit se comporter. Enfermé dans ce jugement posé sur lui, l'enfant n'aura pas les moyens de résoudre son problème. Ce dernier aura tendance à s'aggraver, faisant de lui un enfant de moins en moins facile à aimer.

La responsabilité des parents est immense, et ils sont insuffisamment aidés. Pour fuir leur responsabilité, nous l'avons vu, les parents peuvent se réfugier dans le déni, la projection sur l'enfant – c'est lui qui est nul, lent, méchant, maladroit, bêta – ou se refermer sur un sentiment de culpabilité. Paradoxalement, les parents se sentent facilement coupables de toutes sortes de maux de leurs enfants dont ils ne sont absolument pas responsables. Car les parents ne sont pas responsables de *tout* ce qui arrive à leur enfant.

Une mère a tendance à se sentir coupable parce que son enfant est hyperactif ou a une leucémie. Elle n'éprouve en revanche guère de culpabilité lorsqu'elle le traite de « méchant » ou le punit… Or sur l'hyperactivité ou la leucémie, elle n'a pas de pouvoir, hormis celui de l'emmener consulter les thérapeutes appropriés. Tandis qu'elle en a sur les jugements ou les humiliations.

Certains enfants sont moins gratifiants que d'autres. Il est évident qu'il est plus agréable d'avoir un enfant mignon, qui parle tôt, marche tôt, réussit à l'école, s'épanouit et a plein de copains, qu'un enfant au physique incertain ou en difficulté scolaire. On dit délicatement : « un enfant différent ». Patricia s'est retrouvée seule peu après le diagnostic de la trisomie 21 de son fils. C'est tombé comme un couperet. Pierre a préféré prendre le large. « Je ne peux pas être le père d'un débile », a-t-il dit avant de partir. Tous les parents ne fuient pas, bien sûr, loin de là. Certains développent des trésors de tendresse et d'amour. Reste qu'il peut être plus compliqué pour un parent à l'image fragile d'aimer un enfant affligé d'un handicap, physique ou mental, mais aussi, plus communément, présentant des problèmes d'énurésie, de dyslexie, ou d'hyperactivité… Peut-être d'ailleurs faut-il que ce soit très grave pour que nous lâchions nos tensions. La maman d'un grave handicapé moteur me confiait un jour : « Je ne peux pas dire que je souhaiterais ça à quelqu'un, mais je dois avouer que, lorsque je regarde les autres familles, je constate que nous sommes plus heureux au quotidien que la plupart des gens autour de nous. Nous rions beaucoup. Nous nous aimons. Nous savons ce qui est important et ce qui ne l'est pas. » Quelle belle leçon ! Car elle a bien raison. Il faut l'avouer, il arrive que nous oubliions de célébrer à chaque instant la bonne santé et l'intégrité physique et mentale de nos enfants, et que nos exigences limitent la capacité familiale au bonheur.

Pourquoi nous sentons-nous si coupables quand nos enfants sont « différents » ? Nous leur en voulons parfois inconsciemment de cette image qu'ils donnent de nous, comme s'ils étaient de simples prolongements de nous et faisaient partie de notre identité. Leurs comportements, leurs résultats semblent être les nôtres.

Il a des notes catastrophiques ? Elles nous blessent comme si elles nous étaient adressées. Certes, il y a bien quelques parents à qui la note s'adresse effectivement parce qu'ils ont fait les devoirs du petit à sa place, mais la situation reste marginale ! Nous craignons que les difficultés de nos enfants ne soulignent nos carences. S'il ne réussit pas, s'il n'est pas bon élève, c'est que nous ne sommes pas de bons parents. Il revient avec un 3 sur 20 en maths, c'est comme si nous venions de recevoir un 3 sur 20 en parentage. Il faut qu'il y ait un coupable. Certains parents prennent toute la responsabilité. Ils s'en veulent, regrettent d'avoir divorcé ou se disent qu'ils n'ont pas assez parlé avec leur enfant. D'autres accusent l'enfant pour éviter de regarder leur part de responsabilité. Certains l'énoncent sans détour : « Tu me fais honte, qu'est-ce qu'on va penser de moi ? »

Une mère tance sa fille : « Tu n'as pas honte de pleurer comme ça, tout le monde te regarde ! » C'est elle, à l'évidence, qui a honte. Persuadée que les pleurs de sa fille attirent des regards empreints d'un jugement forcément réprobateur sur elle. Ce n'est évidemment pas le cas. Mais ces jugements réprobateurs projetés sur les passants s'inscrivent en réalité dans la continuité du jugement de ses propres parents sur elle.

Comment, en tant que père ou mère, puis-je supporter le regard condescendant ou sévère des enseignants ? Comment s'en sortir dans les discussions entre copines alors que les autres étalent les succès de leurs enfants ? Le regard des autres peut être vraiment douloureux.

Un enfant qui ne réussit pas, transgresse ou agresse, inflige, bien contre son gré, une blessure narcissique à ses parents. Si les parents sont émotionnellement solides, ils peuvent dépasser cette blessure et se montrer attentifs au besoin exprimé par cette « déviance ». S'ils sont moins solides, ils peuvent nier, punir, blesser l'enfant en retour ou encore retourner leur colère contre eux-mêmes et se culpabiliser. Tous ces mécanismes de défense ne pourront que creuser la distance entre parent et enfant.

La peur de passer pour une mauvaise mère, un mauvais père, mène à nombre de sacrifices qui ne font qu'engendrer une rancœur plus ou moins inconsciente envers les enfants. Un parent qui cherche à atteindre la perfection est souvent exaspéré de ne pas y arriver et peut en vouloir à ses enfants de l'empêcher d'atteindre ses objectifs. Toutes les mères sont de mauvaises mères… et de bonnes mères. En fait, elles seraient de meilleures mères si elles ne cherchaient tant à être bonnes.

Quand une maman est trop préoccupée par l'idée de se montrer une bonne mère, elle n'écoute plus ses signaux intérieurs, identifie mal les vrais besoins, tant les siens que ceux de son enfant. Elle fait ce qu'il « faut » faire. Elle se comporte en fonction de ce qu'elle croit, de schémas appris, d'idées sur ce qu'il y a à faire dans cette situation.

Martine se plaint de ne pas arriver à consoler sa fille de dix-huit mois quand elle pleure, et cette dernière pleure beaucoup. Je l'observe. Quand Victoire éclate en sanglots, Martine la prend dans les bras, la câline. La petite fille se tranquillise assez vite… Mais, quelques secondes plus tard, les pleurs reprennent de plus belle : « Maman, maman… »

Ces supplications, alors même que Victoire est dans ses bras, dépassent Martine. En fait, pour l'observateur extérieur, il est évident qu'elle garde tout simplement sa fille trop longtemps dans ses bras. Martine veut être une bonne mère. Et, dans son idée, une bonne mère répond à son enfant et le prend dans les bras quand il pleure. Mais Victoire a dix-huit mois, elle est grande ! Elle n'a besoin que d'un petit câlin de réconfort.

J'ai expliqué cela à Martine et l'ai invitée à ne conserver sa fille contre son épaule que quelques instants, puis de la tourner vers l'extérieur dès que les pleurs commenceraient à se calmer. Martine a été surprise de la rapidité avec laquelle Victoire a quitté ses bras spontanément pour aller vers un jeu. Elle n'avait besoin des bras de maman que le temps de se retrouver. Parce que sa maman continuait le câlin et que les mamans savent mieux, elle restait, mais elle ne se sentait plus si à l'aise et donc pleurait à nouveau. Elle était prisonnière de sa fidélité envers sa maman, tout comme sa maman était prisonnière d'un schéma stéréotypé : « La bonne mère câline son enfant quand il pleure. »

La « bonne mère » est un stéréotype souvent figé. Les besoins de l'enfant évoluent à chaque étape de croissance. Mais, si ce sont surtout les femmes qui sont marquées par la nécessité d'être « une bonne mère », les pères n'échappent pas à l'image. Ils se veulent aussi « bon père ». Parfois, et surtout quand ils ne sont pas très fiers de leur comportement à l'égard de leur enfant, ils tentent de convaincre : « Va trouver un père comme moi, aussi bon que moi, tu as de la chance, tu sais… »

Tout le monde veut se placer du côté du bien, c'est humain. Mais il est dommage de rester accroché à une image idéalisée quand notre enfant a surtout besoin que la vérité soit reconnue. Enfermés dans cette image de bonne mère, de bon père, nombre de parents refusent toute remise en cause de leurs attitudes. Ils ne veulent pas entendre une autre version que la leur. Ils ne sont toujours pas attentifs à leurs enfants et ne comprennent pas la distance que leurs enfants tentent de mettre entre eux. Quand un parent ne peut tolérer en lui le sentiment de culpabilité sain et utile qui lui permet de se centrer sur l'enfant, il a tendance à s'enfermer dans cette certitude : « Je suis une bonne mère/ un bon père. »

Emmanuel a trente-deux ans. Il ne veut plus voir sa mère. Il ne veut surtout pas lui confier son fils. Denise ne comprend pas : « J'ai toujours été une bonne mère », dit-elle. Elle a raison. On peut lui faire confiance. Elle a toujours été attentive à être une bonne mère. Elle n'a jamais laissé un quelconque sentiment de culpabilité s'immiscer dans son cœur. Denise n'a guère regardé, ni écouté Emmanuel. Elle s'est toujours préoccupée d'elle-même et de son image de mère. Elle a été une bonne mère, mais son fils a manqué de vraie tendresse. Il a été malheureux à ses côtés. Elle n'était pas attentive à ses vrais besoins. Elle donnait en fonction de l'image de ce que doit donner une mère. Quand Emmanuel se plaint de ne pas avoir existé à ses yeux, quand il dénonce certains de ses comportements, elle clame : « Mon fils invente, ce n'était pas comme ça. » Elle refuse de voir qu'il pourrait exister une autre réalité que la sienne. « Dans son enfance, il n'était pas comme ça, tout s'est bien passé », insiste-t-elle.

Quand un enfant pose une question à son parent sur son enfance et que ce dernier, au lieu de réfléchir, décrire et raconter, lui répond : « Tout s'est bien passé » ; vous pouvez traduire : « Je n'ai pas été attentif, j'étais centré sur moi, je n'ai rien vu (et je ne désire rien voir) de ce qui se passait pour toi. »

Il nous faut donc apprendre à tolérer en nous une dose de culpabilité saine, qui nous permet d'être en rapport direct avec notre enfant et non avec des certitudes. Le sentiment de culpabilité est ce qui nous permet de ne pas blesser autrui. Or, nous sommes chargés de la protection de l'enfant, donc de veiller à ce qu'il ne soit pas blessé.

Un enfant porteur de handicap suscite notre protection. Quand nous avons à protéger un enfant plus qu'un autre du fait de ses difficultés, nous nous sentons davantage en charge de sa vie. Plus responsables… et, faute d'être entendus et accompagnés dans l'épreuve, nous avons tendance à nous sentir non seulement plus responsables, mais plus coupables. Le sentiment de culpabilité est pour une part lié au surplus de protection que nous avons à fournir et, pour une autre part, au renversement contre nous-mêmes de la colère liée à la frustration et au sentiment d'injustice face à ce qui nous arrive. À ce qui *nous* arrive, parce que nous avons tendance à oublier que c'est à l'enfant que cela arrive.

Non, tout n'est pas la « faute » des parents. Et nous avons malheureusement tendance à inverser nos responsabilités. Apprenons à remettre les choses à leur juste place. Nous n'avons de responsabilité que sur ce qui est en notre pouvoir. Et c'est déjà beaucoup.

Si nous arrivions à moins nous culpabiliser, nous chercherions moins à nous voir parfaits. Nous pourrions davantage assumer nos responsabilités. Quel parent n'a hésité à consulter pour la timidité, la dyslexie ou l'énurésie de son enfant de crainte d'être considéré comme mauvais parent ? Nous arguons de toutes sortes de bonnes raisons, mais les faits sont là, la plupart des parents tardent à prendre la mesure d'un problème et à consulter.

Un enfant n'a pas besoin de parents parfaits, il a besoin de parents suffisamment bons, c'est-à-dire de parents qui, bien entendu, tentent de faire pour le mieux pour s'occuper de lui, qui le protègent et le nourrissent, qui évitent de le blesser, de le frustrer excessivement, mais qui se savent capables d'erreurs et se montrent aptes à les reconnaître. Un enfant veut rencontrer non *un rôle* en face de lui, mais une personne, *une vraie personne,* avec ses émotions et ses propres besoins, ses pensées et ses valeurs, ses compétences et ses limites.

Il y a les parents qui abusivement se sentent coupables, et les parents coupables qui n'éprouvent pas ou ne veulent pas éprouver de sentiment de culpabilité. Ils risquent alors de s'enfermer dans un cercle vicieux. Car, quand nous blessons autrui, volontairement ou non, du fait de notre incapacité à faire face à notre culpabilité, la simple vue de la personne blessée nous insupporte, tant elle nous rappelle notre indignité. On déteste ceux qui nous font nous sentir coupables !

Pour la même raison, un parent peut avoir du mal à aimer un enfant vécu comme insuffisant, simplement parce

45

que ce dernier le renvoie à ce sentiment de culpabilité. Le parent peut fuir le regard de son enfant, tenter de fuir son propre regard, en s'éloignant physiquement, ou il peut devenir violent, en venir à frapper cet enfant qui lui renvoie son indignité.

On ne peut pas être toujours « au top ». Quand on n'a pas beaucoup dormi, quand on traverse une période difficile, crier est somme toute humain. Personne, et surtout pas nos enfants, n'attend que nous soyons parfaits. Mais parce que nous-mêmes portons cette exigence de perfection, parce que nous voulons être une bonne mère, un bon père, d'une part nous justifions nos comportements en les nommant éducatifs et, d'autre part, nous n'osons pas demander de l'aide, comme si c'était avouer notre incompétence. Pourtant, introduire un tiers diminuerait notre stress. Pourquoi toujours chercher à tout assumer seul(e) ? Non seulement il n'y a pas de honte à se faire aider, mais le vrai courage est là : cesser de se voiler la face et oser demander !

4. RÉACTIONS IMPULSIVES

« C'est parti tout seul. Je n'ai pas pensé, c'était automatique, ma main est partie avant que je ne réalise. »

« J'ai dit des mots que j'ai immédiatement regrettés, c'est comme si ce n'était pas moi qui parlais. »

Certaines situations, certains comportements de nos enfants déclenchent en nous des réactions réflexes très rapides. Lorsque nos actes nous échappent, nous avons tendance à les dire « spontanés ». Le sont-ils vraiment ? Ils sont en réalité bien plus automatiques que spontanés. La spontanéité fait référence à quelque chose qui serait naturel. Les mots ou les comportements que nous ne maîtrisons pas n'ont rien de naturel. Ils sont appris. Il n'est pas agréable ni valorisant de se considérer comme un automate irresponsable. Il est compréhensible que nous préférions considérer nos réactions automatiques comme spontanées plutôt que de réaliser qu'une réaction rapide, sans pensée, n'est que réflexe acquis. Mais c'est se voiler la face.

De plus, ces réactions automatiques sont tout sauf éducatives. Nous le savons aussi sans toujours vouloir nous l'avouer, et cela ne nous plaît guère. Cette image que nous

nous renvoyons de nous-même nous déprime. Les femmes le disent : « Je ressemble à ma mère, je me déteste quand je me surprends à crier comme elle, à dire les mêmes mots »... Fatigue, accumulation de tensions, responsabilité, exaspération, sentiment d'impuissance... : tout se conjugue. Nos actes ne sont plus posés consciemment dans un but déterminé. Dans l'urgence – car c'est un autre aspect de la dramatisation, un parent est ou se croit souvent dans l'urgence –, dans l'intensité de l'instant, la réponse, réflexe acquis, est automatique. Nous pouvons nous croire alors victimes de pulsions qui nous dépassent.

Faisons un petit rappel de vocabulaire. Les pulsions sont biologiques. Elles sont au service de la vie, permettent la survie et l'évolution. Pulsion de vie, pulsion de mort (mais non pas pulsion de suicide), pulsion de conservation, pulsion sexuelle, elles nous sont essentielles et doivent être satisfaites. Ce sont des mouvements fondamentaux de notre énergie vitale. L'utilisation banale de ce terme prête à confusion en donnant un caractère impératif à la satisfaction du besoin.

Quand nos gestes ou paroles envers nos enfants dépassent notre intention, il ne s'agit que rarement d'une pulsion biologique. Je préfère utiliser le terme *impulsion*. Ce sont des gestes appris, culturels et non biologiques. Ce sont des impulsions ou des compulsions. Un mouvement brusque peut être juste impulsif, c'est-à-dire motivé par des éléments inconscients ponctuels. Le cerveau réflexe ou émotionnel interprète rapidement les informations qu'il reçoit et envoie la réponse motrice avant que cette dernière n'ait pu être validée par le cerveau supérieur. Une impulsion est rapide, mais peut être maîtrisée. Une compulsion, en revanche, est bien plus difficile à maîtriser. L'enfant abîme un objet. Le parent peut éprouver une impulsion agressive, une envie de gifler, de faire mal à l'enfant, de le rabaisser. Il ne le fait pas forcément. Parfois l'impulsion est trop forte, il se laisse emporter et gifle ou traite l'enfant de maladroit, cela reste une impulsion tant que ce n'est pas récurrent. Lorsque nombre de comportements de l'enfant déclenchent des impulsions agressives ou autres[1], on peut alors parler d'impulsivité. L'impulsivité a des causes, elle peut se maîtriser.

Dans le cas de la compulsion, le parent n'arrive pas à contrôler ses gestes et/ou ses paroles. C'est comme s'il « tombait sur l'enfant » régulièrement et « pour un rien ». Les compulsions sont des circuits comportementaux mis en place par notre inconscient pour éviter l'angoisse. Nous reparlerons de l'origine de cette angoisse. Elles aussi sont guérissables à condition bien sûr de les identifier comme nous appartenant et non comme éducatives. La compulsion n'est pas une fatalité. Il est important de mesurer la différence entre les deux pour éviter de culpabiliser les parents victimes de compulsion. Si leur angoisse sous-jacente n'est pas entendue, ils ne peuvent contrôler leur addiction. Elle n'est pas sous le contrôle de leur volonté.

Juste avant une conférence, alors que je me préparais sur l'estrade, une jeune femme est venue me parler : « C'est la seconde fois que je viens vous écouter. Je voulais vous remercier. La dernière fois, vous avez expliqué que les gifles faisaient mal aux enfants. Grâce à vous, je n'ai plus jamais frappé mes filles. Et je peux vous dire que l'ambiance familiale en a été transformée. Voilà, je tenais à vous dire combien ces quelques mots que vous avez prononcés sur les fessées avaient changé ma relation avec mes enfants. Merci pour elles et merci pour notre famille. »

---

1. Une impulsion est en général dirigée vers l'extérieur, mais il peut aussi arriver que le parent retourne contre lui-même l'agressivité, se culpabilise ou se précipite sur une cigarette ou un verre d'alcool.

Certains parents cessent de gifler, fesser ou juger leur enfant dès qu'ils ont l'information de la nocivité de ces attitudes. Cette femme en est la preuve. Ils le faisaient par ignorance, par manque de conscience. Dès lors que les parents entrevoient d'autres possibilités, ils y recourent. D'autres n'y arrivent pas tout de suite, parce que ce comportement n'est pas totalement sous leur contrôle conscient. Ils ont besoin d'un temps pour apprendre à juguler leur impulsivité. D'autres encore sont réellement impuissants à changer et ont besoin d'aide pour réussir à modifier leur comportement. De la même manière, certaines personnes arrêtent de fumer facilement, d'autres ont bien du mal, parce qu'il s'agit d'une compulsion et qu'elles sont dépendantes.

L'image fait songer à la dépendance chimique. Comme les fumeurs sont accoutumés à leur dose de nicotine, y aurait-il une dépendance aux hormones de l'agressivité ? Ce n'est pas impossible. La présence d'une dimension physiologique de la violence est indéniable. Mais je suis psychologue, je vais donc rester sur ma spécialité, la dépendance psychologique.

Frapper un enfant, le dévaloriser, peut apporter des bénéfices inconscients. Tant que ces derniers ne seront pas élucidés, changer sera pour le parent concerné extrêmement difficile. Il est important de se souvenir que le parent ne frappe pas son enfant par méchanceté, plaisir ou perversité intrinsèque. Il est animé d'une impulsion qui le mène à frapper ou blesser l'enfant pour éviter une angoisse qui sinon le submergerait.

La violence envers l'enfant n'est pas pulsionnelle, elle est impulsive ou compulsionnelle. Dans tous les cas, elle est sans rapport avec les comportements de l'enfant, ceux-ci sont au mieux des déclencheurs, pas des causes.

5. Quand l'impulsion devient compulsion

C'est l'été. À la poste, une dizaine de personnes font la queue, la chaleur pèse, un blondinet d'environ quatre ans pleure, sa maman le tape sur les fesses. « Tu vas te calmer ? » Manifestement, c'est elle qui est énervée. Elle tient son petit gars par les bras et l'empêche de gambader, il se tortille, cherche à s'évader. « Elle va tomber ! » menace-t-elle, de l'autre main. Dès qu'elle le lâche, il se jette sur un piquet et tourne autour… Elle le rattrape, le frappe encore. Il pleure, puis va jouer un peu plus loin. Il revient. Il a oublié que sa mère n'était pas contente. Souriant, il l'appelle « Maman, maman, regarde. » Mais, elle, n'a pas oublié : « Je ne te parle pas, parce que tu n'es pas sage ! » Quelques minutes plus tard, il revient dans ses jambes, elle lui inflige une nouvelle tape. Il s'assied un peu plus loin et pleure.

Dans la queue, les usagers se regardent, gênés. Personne n'ose s'interposer. Ils ferment leurs yeux et leurs oreilles. Il me faudrait du temps pour intervenir de manière constructive. Je suis hélas pressée. Elle est au milieu de la foule et pourtant si seule. Je m'approche de la femme et lui adresse – maladroitement[1] – ces mots :

---

1. Maladroitement, parce que je me positionne comme supérieure à elle, comme celle qui sait contre celle qui ne sait pas. Eh oui, je ne suis

– Je comprends que vous soyez exaspérée, mais il y a de meilleurs moyens de calmer un enfant que de taper et de crier.

– Ça ne vous regarde pas !

– Si, ça me regarde. Je n'aime pas voir un enfant souffrir. Mais j'imagine que vous aussi avez été frappée enfant.

– Ça ne m'a pas traumatisée !

Un court échange a suivi au cours duquel j'ai tenté de l'assurer de mon absence de jugement... Peine perdue. Mes mots butaient sur un visage hostile et fermé. Je l'ai laissée tout en pensant : « Oh si, madame ! Cela vous a traumatisée. Je peux le voir aux tensions sur votre visage, le mesurer à votre énervement face à votre fils un peu remuant. Il vous est manifestement arrivé des bricoles, petite fille. Vous avez dû réprimer bien des émotions, vous durcir pour ne pas sentir. »

Cette maman pouvait constater combien ses coups, cris et menaces étaient inutiles. Plus elle tapait, plus le petit garçon criait, pleurait, et tentait de lui échapper. Mais elle continuait, insistait et, devant moi, justifiait une attitude pourtant manifestement inopérante.

Parler doucement à son enfant, diriger son attention vers son environnement, l'intéresser à quelque chose eût été autrement plus efficace, mais cela ne faisait pas partie de sa panoplie de mère. Dans sa boîte d'options, il n'y avait qu'une possibilité : répression. Parce que c'était ce qu'elle avait appris enfant, auprès de ses parents.

---

pas parfaite et, malgré ma pratique, il m'arrive de ne pas avoir le bon langage. Il aurait été plus approprié de lui donner tout simplement de l'aide ou d'intervenir directement auprès de l'enfant. J'ai toutefois conservé ici mes mots de ce jour-là, qui ont provoqué la suite de la conversation.

Cette maman, démunie, avait recours, par imitation, à l'abus de pouvoir pour retrouver une sensation de force et contrebalancer son profond sentiment d'impuissance. Il s'agit d'une impulsion quand le geste violent est isolé. Il s'agit d'une compulsion quand le parent ne peut s'empêcher de frapper l'enfant pour un rien. Au vu du caractère automatique et manifestement habituel des coups, on peut penser ici à une compulsion.

La compulsion à humilier, dévaloriser, juger, frapper est une projection sur l'enfant des fureurs réprimées dans notre propre enfance. La colère originelle est majorée par la tension, la frustration, l'humiliation de ne pas avoir pu la dire… Elle peut devenir rage et haine quand elle rappelle les silences forcés de notre histoire. La compulsion violente est tout à la fois vengeance et tentative de guérison. Mais nous y reviendrons.

6. DISSONANCE COGNITIVE

Revenons à cette phrase familière entendue plus haut : « Si tu n'es pas là à 3, tu vas recevoir la fessée de ta vie ! » Avant de la prononcer, Sylvie n'avait évidemment pas réfléchi, elle s'était laissé emporter par l'automatisme. Ce n'est pas vraiment elle qui parlait, mais sa mère, sa grand-mère… Je l'avais entendue, le matin même, lors d'une réunion, s'offusquer publiquement de l'administration d'une gifle à un enfant en classe. Sa prise de parole condamnait sans ambages tout châtiment corporel, tant à l'école que dans la famille. Mais quand elle crie ainsi contre son fils, elle est sous l'emprise d'autre chose que la raison. Elle reproduit une habitude.

Interpellée par la distance entre le discours et cette menace, je suis allée discuter un peu avec la petite Émeline, la sœur d'Hugo :

– Ta maman, elle donne des fessées ou elle dit ça juste pour rire ?

– Elle donne des fessées ! Puis elle enchaîne, comme pour justifier sa mère : Je vais t'expliquer, je n'avais rien fait et Hugo m'a fait tomber. Je me suis fait mal !

Émeline avait intégré l'idée qu'il était naturel et juste de recevoir une fessée quand on avait fait quelque chose de

54

mal. Hugo avait fait quelque chose de mal, donc il allait recevoir une fessée. L'élucidation des raisons pour lesquelles son frère l'avait fait tomber ne lui semblait ni importante ni même utile.

Sylvie est bien consciente de l'inutilité des fessées pour l'apprentissage, et même de leur nocivité. Pourtant, elle en menaçait son fils et j'apprenais qu'il lui arrivait d'en infliger. Comment s'arrangeait-elle avec ses valeurs ?

Une contradiction entre croyance : « ce n'est pas bien de frapper un enfant » et comportement : « je gifle mon enfant qui a fait une bêtise » crée un état de tension. Cette tension devrait nous inviter à modifier notre comportement de manière à le mettre en rapport avec nos valeurs. Hélas, il est bien plus facile de modifier ses pensées que ses comportements, surtout quand ces derniers sont enracinés dans nos blessures passées. Nous réorganisons alors nos certitudes pour qu'elles soutiennent nos actes et en venons à prôner par exemple qu'« une bonne fessée n'a jamais tué personne ».

Analysant les processus psychiques à l'œuvre lors d'un tel décalage entre conceptions et comportements, un chercheur américain, Léon Festinger (1957), a introduit le concept de dissonance cognitive. Il définit la dissonance cognitive comme « un état de tension désagréable dû à la présence simultanée de deux cognitions (idées, opinions, comportements) psychologiquement inconsistantes ». En d'autres termes, la dissonance cognitive manifeste l'inconfort qu'il y a pour une personne à vivre quelque chose en désaccord avec ce qu'elle pense ou de penser quelque chose en désaccord avec ce qu'elle vit. Lorsque nous manifestons des comportements qui contredisent nos valeurs, nous avons une forte propension à réorganiser notre pensée pour la faire coller à nos actes, pour les justifier. On pourrait faire le contraire, mais ce serait méconnaître la puissance des automatismes. Il est plus facile d'aménager ses pensées que de modifier ses comportements. Constater que nous n'agissons pas selon nos propres critères est angoissant, culpabilisant. Le jugement « Je ne suis pas quelqu'un de bien » n'est pas loin. Mieux vaut changer alors d'idée. Bien sûr le processus n'est pas conscient et il s'exerce avec plus ou moins de force.

L'exemple de Sylvie nous permet de comprendre combien nos comportements ne sont pas le reflet de nos connaissances conscientes, mais sont mus par des mécanismes inconscients.

Qui n'a jamais été confronté à ces contradictions ? Selon notre interlocuteur, comme elle, nous pouvons nier avoir recours à la fessée, en minimiser l'impact, argumenter de l'impossibilité de « tenir » autrement son fils ou sa fille. Nos discours ne sont souvent que justifications pour ne pas souffrir d'un manque d'adéquation entre nos pensées et nos réactions. On comprend dès lors la passion des débats. Sous couvert de penser au futur de l'enfant, nous sommes surtout en train de fuir notre passé. Ce n'est pas tant sa culpabilité que le parent craint de rencontrer que sa souffrance d'enfant.

Sommes-nous pour autant hypocrites ? Pas du tout. Nous sommes absolument sincères dans tous les cas. Notre cerveau s'ajuste à chaque situation pour réduire l'inconfort, juguler l'angoisse qui naîtrait d'un décalage. Écoutés sans jugement, chez le psy par exemple, on peut se sentir enfin suffisamment en sécurité pour affronter cette angoisse, la regarder en face, tolérer en soi l'émergence de ses émotions refoulées. Quand nous sommes capables de supporter une certaine incohérence, une certaine proportion de sentiment de culpabilité, nous sommes sur le bon chemin.

7. INSULTES ET DÉVALORISATIONS

« A lors la grosse ? » « Quel nul ! » « Hé, l'éléphant, tu viens ? » « Attention, le bulldozer arrive ! » « Le débile a encore eu 5 en maths ! » « Moche comme tu es, n'imagine pas que tu vas plaire à un garçon ! » « Pour qui tu te prends ? La reine d'Angleterre ? »

Les termes vous choquent ? Hélas, je ne les ai pas inventés. Rares sont les enfants qui n'ont jamais été insultés par leurs parents. Ces dévalorisations sont autant de gifles émotionnelles. Elles blessent le jeune qui les subit, l'adulte qui les profère et la relation. Notre histoire personnelle nous laisse croire que ces violences verbales seraient anodines. Dans les collèges, les insultes fusent. Les adolescents disent d'ailleurs : « Je me suis fait traiter », sans plus ajouter de quoi. Quand un adulte s'insurge, il se voit répliquer : « Tu n'y comprends rien, ça fait rien, on a l'habitude, tout le monde parle comme ça. »

Mais lorsqu'un de ces ados franchit la porte d'un cabinet de psy ou qu'il se trouve dans un groupe où on lui permet de parler vrai, il confie tout autre chose. Être insulté fait mal et contribue à la dégradation des rapports avec les autres. Jugements et dévalorisations induisent un climat délétère. Dans une classe où une insulte peut être proférée par un adulte ou par un enfant sans être dénoncée comme inacceptable, personne ne se sent plus en sécurité. Ni la victime ni les témoins passifs, pas même l'agresseur. Le changement intérieur est subtil, inconscient la plupart du temps. Plus personne ne prend le risque de s'exprimer librement. Chacun en vient à jouer un rôle.

C'est aussi le cas dans une famille. Chacun endosse son costume et joue sa partie pour être accepté. Certains s'identifient à leur rôle, croient qu'ils « sont » comme ça, que c'est la vraie vie.

Ces attitudes de mépris et de dénigrement sont déjà douloureuses venant d'un copain et le sont encore plus de ses propres parents. Les insultes ont beau être banalisées, elles blessent bien plus profondément qu'on ne veut le croire.

Sur le court de tennis, les commentaires paternels fusent. « Remue-toi, allez, bouge un peu ton gros cul. » Deborah se démène. Chaque balle dans le filet provoque une nouvelle pique : « Tu es nulle, vraiment, ma pauvre fille. » Quand je l'interpelle, le père se justifie. « Je ne la dévalorise pas, je la titille pour qu'elle ne se laisse pas aller. Je la stimule parce que je sais qu'elle est capable. Sinon, je ne dirais rien. » Ce papa croit-il ce qu'il dit ? C'est ainsi qu'il réduit la dissonance cognitive, mais faut-il qu'il ferme les yeux ! Sa fille s'est forgé une carapace pour ne plus sentir. Elle s'est isolée d'elle-même, s'est enveloppée d'une couche de gras bien épais pour amortir les aiguillons… Elle a bien sûr abandonné le tennis peu après. Elle adore son père… et ne le remet pas en cause. Elle préfère détruire sa propre image. Elle manque notablement de confiance en elle, mais ne fait pas le lien avec l'attitude de son père. Il est par ailleurs si brillant, si à l'aise dans la vie, si généreux, si serviable avec tout le monde.

Lui, c'est un dominant. Il n'aime pas les psys et refuse de considérer sa part de responsabilité dans le défaut de sécurité intérieure de sa fille : « C'est elle qui est comme ça. » Quel est donc son bénéfice à la faire ainsi souffrir ? Conserver le pouvoir. Ne pas laisser l'émotion faire irruption. Il a été tant soumis par son propre père, humilié, dévalorisé. Volontiers caustique à son tour, il ne laisse pas percer ses émotions. Au-delà du contrôle de sa fille, ce sont en réalité ses propres affects qu'il tente de contrôler, de garder refoulés.

L'impact des injures se vérifie parfois très tard. Marion vient consulter parce qu'elle n'éprouve jamais de désir pour son mari et n'a pas de plaisir à faire l'amour. Nous cherchons ce qui dans son passé a pu la blesser dans sa sexualité. Je l'écoute. Elle me confie que sans cesse lui revient ce mot jeté par sa mère alors qu'elle avait quatorze ans et avait « osé » sortir avec un garçon au cinéma : *putain*. Comment une mère peut-elle traiter sa fille ainsi ? Cette insulte est, hélas, fréquente dans la bouche tant des mères que des pères. Pour Marion, la blessure a été profonde. Déconcertée par la violence de l'agression, elle a cru sa maman et en a déduit : « Si je suis avec un garçon, je suis une putain. » Elle a alors annulé toute sensation sexuelle, dans l'illusion inconsciente qu'elle conserverait ainsi l'estime et l'amour de sa maman. Petite fille obéissante, elle s'interdit encore maintenant tout plaisir, tout désir, et met ainsi en péril sa relation conjugale. En réalité, l'insulte ne lui était pas adressée, mais comment l'aurait-elle su ? Les enfants croient leurs parents. Et sa mère ne s'en est jamais excusée.

D'où nous viennent ces insultes ? Souvent nous les avons entendues, elles nous ont été adressées quand nous étions jeunes. Nous en avons effacé le côté agressif, nous les avons intériorisées, refoulant la souffrance. La dynamique est défensive. L'insulte est projection sur l'autre pour tenter de faire taire la douleur à l'intérieur. Il y a toujours notre propre

59

histoire derrière une insulte, une blessure qui fait encore mal, des émotions et des besoins.

Nos insultes ne sont pas innocentes. Elles sont projetées sur nos enfants, mais ne disent rien d'eux. Elles disent nos propres blessures. Nathalie a donné naissance à Marion hors mariage quand elle avait vingt ans. Elle a souffert du jugement des autres, de l'isolement, du rejet de ses parents. Elle a éprouvé alors une immense détresse. Ce sont toutes ces émotions qui sont venues frapper aux portes de sa conscience quand elle a appris que sa fille sortait avec un garçon… Elle ne voulait pas les entendre, pas les revivre, alors elle a attaqué. « Tu n'es qu'une putain ! » Pour ne pas les garder, les regarder au fond d'elle, elle a projeté ces mots terribles à la figure de sa fille.

Insulter, dévaloriser, juger, « traiter », injurier ne sont pas des méthodes éducatives, c'est de la violence, même et surtout quand ce sont les parents qui sont les auteurs des insultes. Les jugements sont des prises de pouvoir sur l'autre pour ne pas regarder en soi. « C'est çui qui dit qui y est ! », disent les enfants.

Alors que j'énonçais cette dynamique à un père venu pour son fils, il s'est insurgé : « Mais c'est pourtant vrai qu'il est nul, je ne fais que dire la vérité, je ne vais pas lui dire qu'il est génial, regardez-moi ces notes ! »

Je lui ai patiemment expliqué la distinction à opérer entre constatation et interprétation. En soulignant que « Il est génial » serait aussi un jugement et non une constatation objective. « Les notes sont inférieures à la moyenne » est une réalité objective. « Il est nul » est une interprétation globalisante, une définition de l'élève et non pas des notes. L'interprétation est subjective, fonction de *notre* vécu, de *notre* regard, de *notre* angle de vue et non de *sa* réalité. Nous avons souvent du mal à faire la différence tant notre interprétation nous semble la seule possible. D'autant que l'enfant par soumission et besoin de cohérence a tendance à se conformer à ce que nous disons de lui. L'effet a été étudié[1] et se nomme « la réalisation automatique des prédictions ». Nous considérons l'enfant comme nul, il s'installe dans une dynamique d'échec : je suis nul, inutile donc de chercher à résoudre ce problème, je n'y arriverai pas… ; il se conforme à cette définition de lui dans ses pensées et comportements. Il ressemble de plus en plus à l'image que son parent se fait de lui, et le confirme ainsi dans son idée.

Nous avons tendance à oublier que les enfants font de leur mieux. S'ils n'arrivent pas à répondre à nos attentes, c'est que ce que nous leur demandons soit n'est pas sous leur contrôle, soit est contredit par nos attentes inconscientes.

Qu'est-ce qui nous pousse malgré tout à juger ? Nous avons pourtant été nous-mêmes enfants et devrions donc nous souvenir de la souffrance éprouvée quand nos propres géniteurs nous ont ainsi définis négativement. Nous ne nous en souvenons pas parce que nous nous sommes sentis coupables, avons accepté cette définition de nous et avons enfermé nos émotions dans notre cœur. Nous avons traversé cette expérience, nous savons de manière certaine combien les jugements sont antipédagogiques, puisque nous en avons eu la preuve. Ces jugements nous ont fait mal et ne nous ont pas aidés à développer nos capacités. Et pourtant nous les proférons à notre tour. Pourquoi ? Parce que nous nous sommes sentis coupables, inférieurs, dévalorisés par le jugement.

---

1. Robert A. Rosenthal et Lenore Jacobson, *Pygmalion à l'école : l'attente du maître et le développement intellectuel des élèves,* Casterman, 1996.

Nous l'avons intériorisé et jugé juste. Combien d'adultes regardent leur passé en se jugeant eux-mêmes : « J'étais un sale gosse, j'étais molle, j'étais insupportable… », en oubliant que ces attitudes n'étaient que des conséquences et non des causes.

Nos symptômes ne sont pas des problèmes, ce sont des solutions ou plutôt des tentatives de solution aux problèmes que nous rencontrons.

Quand un comportement ou un résultat de notre enfant ne réveille pas nos blessures passées, nous sommes la plupart du temps aptes à identifier que ce comportement a des causes, qu'il s'enracine dans un problème plus profond. Nous sommes tournés vers la compréhension de la problématique, puis vers la recherche d'une solution davantage que vers la culpabilisation de l'enfant. Par exemple, face à un carnet de notes désastreux, notre réaction sera : que s'est-il passé ? Nous écouterons, nous envisagerons les différentes causes possibles : manque de travail, inattention, défaut de compréhension, difficultés particulières, décalage intellectuel, blocage sur la matière ou avec le professeur… Nous nous mettrons à l'écoute de la relation entre notre enfant et son professeur. Bref, nous replacerons les notes dans un contexte, conservant à l'esprit qu'elles ne sont que des symptômes et qu'il nous reste à identifier le mal qui freine notre enfant.

Il ne nous viendrait pas à l'idée, en voyant sur le thermomètre 39,5°, de demander à notre enfant de faire des efforts pour faire descendre sa température. Nous savons que c'est un symptôme, et qu'il s'agit de diagnostiquer le mal pour y remédier. De la même manière, si notre enfant n'obtient pas de bonnes notes, c'est qu'il se passe quelque chose qui l'en empêche. Si nous ne réussissons pas à mettre le doigt dessus, nous avons peu de chances de voir les notes s'améliorer.

Seulement notre fureur nous aveugle. Nous oublions tout cela et hurlons sur nos enfants. Notre rage, en réalité, ne parle pas des notes de l'enfant, mais de notre propre vécu inconscient, de nos blessures. C'est aussi pour cela qu'elle n'est pas seulement douloureuse pour l'enfant mais inefficace pour ce qui est de le faire progresser. Nous insultons l'enfant pour mieux réprimer nos émotions. La vérité est bien ailleurs, elle nous concerne, elle dit :

« Quand tu as une mauvaise note, je me sens mal, c'est comme si j'avais eu moi-même une mauvaise note. »

Ou bien :

« Je suis furieux parce que j'ai une mauvaise image de moi et je crains ce que les autres vont dire de moi. »

« J'ai eu tant de mauvaises notes petit, je me sentais nul, je me suis toujours senti humilié. Tu me fais revivre cette humiliation. »

« Quand j'avais une mauvaise note, je prenais une raclée. Ne me rappelle pas ça ! »

« Je n'ai jamais eu que de bonnes notes, et si tu savais ce que j'ai sacrifié, combien j'ai travaillé pour cela... Je ne supporte pas que tu aies une vie plus facile. »

« Je travaille dur pour que tu puisses aller à l'école. Quand je vois tes résultats, je trouve ça injuste... »

Dévaloriser, c'est prendre le pouvoir sur l'autre, mais surtout tenter de prendre le pouvoir sur les blessures de sa propre histoire. C'est tenter maladroitement de sortir l'enfant que nous étions de l'état de dévalorisation dans lequel il est enfermé. Mais plutôt que le libérer, chaque fois que nous humilions autrui, nous tournons le verrou un cran de plus.

Inutile de culpabiliser si nous nous surprenons à prononcer un jugement dévalorisant. Contentons-nous de nous interrompre, de nous excuser bien sûr vis-à-vis de l'enfant, puis d'écouter en nous la résonance de ce jugement spécifique. Que dit-il de moi ? C'est une porte d'entrée vers mon histoire.

8. QUAND LES COUPS NOUS ÉCHAPPENT

—J'aime pas quand ma mère me donne des gifles.

– Qu'est-ce que tu ressens quand ta maman te tape ?

– Ça fait mal, j'ai la joue rouge et puis je suis en colère.

– Qu'est-ce que tu te dis ?

– Je me dis qu'elle m'aime pas beaucoup.

Sa mère m'avait amené Sylvain, huit ans, parce qu'il n'était pas sage ! Il n'écoutait pas, il faisait des bêtises.

– Tu sais pourquoi elle te tape ?

– Parce que j'ai fait une bêtise.

– Ça te donne envie de ne plus en faire ?

– J'ai pas fait exprès de faire une bêtise

– Qu'est-ce que tu peux faire pour qu'elle ne te gifle plus ?

– Il faut que j'arrête de faire des bêtises, que je fasse plus attention.

– Tu peux faire ça ?

– Ben non, parce que je fais pas exprès.

C'est explicite ! Les gifles n'ont pas le pouvoir d'aider Sylvain à modifier son comportement. Mais elles ont celui de le rendre démuni et coupable.

À moins que les coups ne soient vraiment violents – et, hélas, même souvent dans ce cas –, les enfants excusent leurs parents. Ils trouvent normal d'être tapés et le justifient : ce sont eux qui ont été méchants, ils ont désobéi, fait une bêtise. C'est cela qui est toxique, davantage que la douleur physique, et qui rend nocive même une petite tape : l'enfant se sent « le mauvais », et pense que son parent a le droit de disposer de son corps. Monique Tazrout l'exprime très justement par cette phrase : « Le corps n'est plus le simple objet porteur de coups, il devient surtout l'empreinte des coups reçus et c'est l'enfant lui-même qui est atteint dans sa propre personne »[1]. L'empreinte des coups reçus, c'est exactement cela.

Si les coups peuvent obtenir une modification de comportement à très court terme, ils sont le plus souvent inutiles. Tous les parents en ont fait l'expérience, ce qui ne les empêche pas de continuer. Preuve s'il en est que la motivation réelle est inconsciente. Certains parents le reconnaissent, d'autres non. Une étude abonde dans ce sens : mille mères[2] ayant utilisé des punitions corporelles au cours des six mois précédents ont été interrogées, 54 % ont reconnu que, dans la moitié des cas, la fessée était la pire chose à faire.

Une autre étude[3] a montré que 85 % des parents qui utilisaient la fessée se disaient prêts à l'abandonner si on leur apprenait de meilleures alternatives. Ils reconnaissaient que les fessées n'avaient d'efficacité qu'à très court terme.

Les pères plus que les mères sont favorables aux châtiments corporels. Ils perçoivent moins que les mamans les effets

---

1. Monique Tazrout, *Le Journal des psychologues,* février 1998, n° 154.
2. Étude menée dans le Minnesota, États-Unis.
3. http://www.niclaquesnifessees.org/index.html et http://monsite. wanadoo. fr/oliviermaurel.

négatifs des coups. Ils méconnaissent l'impact psychologique et physique des fessées sur l'enfant. Il a été montré que les papas ont une très mauvaise estimation des possibilités de leur bébé. Mais eux aussi ont été petits garçons, et ces résultats peuvent aussi être mis en relation avec le fait que les garçons sont plus frappés que les filles, qui, elles, subissent davantage d'humiliations et autres violences psychologiques.

Aidés, informés, les parents changent. Un programme éducatif de dix semaines pour les parents a été mis au point. Les parents en ayant bénéficié ont réduit notablement les punitions corporelles. Les effets ont été multiples. Chez 807 enfants de six à neuf ans, on a vu diminuer les conduites antisociales quand les parents ont remplacé les fessées par d'autres modes de discipline.

« On dirait qu'il cherche les coups. » Non, les apparences sont certes contre lui et analysons. Quand vous êtes frappé par quelqu'un qui est censé vous protéger, il y a dissonance cognitive. « Maman est ma protectrice »/« Maman me fait mal » sont deux propositions incompatibles.

Soit l'enfant remet en cause la première partie, soit la seconde. Or il est plus facile de croire « ça ne me fait pas vraiment mal » que « maman ne me protège pas ». D'autant que maman a tendance à confirmer cette version : « Je te frappe pour ton bien, donc tu n'as pas mal. » Mais tout de même, ça fait mal. Tout cela est incompréhensible. Alors, pour tenter de donner du sens, l'enfant réitère le comportement qui a suscité les coups. Pour réduire la dissonance cognitive, il s'insensibilise, fait en sorte de ne pas avoir mal. C'est ainsi que les coups appellent les coups.

Un parent frappe rarement parce que l'enfant a fait une bêtise. Il tape par réflexe, parce qu'il en a l'habitude, par ignorance, mais surtout parce qu'il est épuisé, débordé par ses sentiments d'impuissance. Il ne sait plus quoi faire, n'arrive plus à maîtriser ses affects, alors il cogne pour reprendre le pouvoir, ce pouvoir sur autrui offert par la possibilité de blesser l'autre qui donne l'impression d'avoir de la valeur. Faire mal est une tentative de restauration du sentiment d'importance.

Je peux faire mal = j'ai du pouvoir = je suis puissant.

« Ça me défoule, je me sens mieux après ! », m'a confirmé une mère. À l'instant où l'on tape, on est envahi par une impulsion de destruction, de prise de pouvoir, d'asservissement de l'autre. Ça défoule peut-être, mais, en réalité, frapper sert le refoulement de ses émotions véritables.

Les parents les plus irritables, déprimés, fatigués et stressés sont les plus grands utilisateurs de punitions corporelles : l'enfant est donc puni en fonction de ce dont souffrent ses parents et non pas en fonction de ce qu'il fait ou ne fait pas. Tout parent, ou presque, a un jour levé la main sur son enfant. Mais nous devons cesser de nous aveugler, ce n'est pas une méthode éducative. C'est une impulsion de violence que nous pouvons apprendre à maîtriser.

Comment se fait-il que nous soyons capables d'insulter, de culpabiliser, de dévaloriser ceux que nous aimons le plus ? Jamais nous n'oserions traiter ainsi un collègue ou un ami. Comment se fait-il que nous puissions être capables de faire si mal à la prunelle de nos yeux ?

9. UNE HISTOIRE DE STATUT

« Veux-tu t'habiller correctement ! », hurle Sophie à l'adresse de sa fille de douze ans. Elle s'étonne elle-même de sa virulence. Qu'est-ce qui la met donc dans une telle fureur ?

Elle analyse : « Qu'est-ce qui se passe ? Contre quoi et contre qui suis-je en colère ? » La réponse s'impose : depuis ce matin, Sophie accumule de la rancœur contre… son mari ! Alors qu'ils se voient si peu, ce dernier a passé la matinée devant l'ordinateur. Mais que dire ? Il travaillait à installer des logiciels pour leur fils aîné ! Elle était si contente par ailleurs qu'il donne du temps à ce dernier. Frustrée toutefois dans son besoin de proximité et d'intimité, sans oser en faire la demande ou le reconnaître, elle a accumulé du ressentiment. Bien fermée et depuis le matin sur le feu, la Cocotte-Minute était sous pression… L'épisode avec Sophie lui a permis de libérer un peu de sa tension. Hélas sans efficacité, car se mettre en colère contre un objet de substitution ne fait qu'entretenir les sentiments négatifs. D'autant qu'on se sent en général un peu coupable de cette sortie aussi excessive qu'indue. Sophie ne se sent ni libérée ni rassérénée. Si elle n'avait pris conscience du côté disproportionné et inadéquat de sa réaction, il y a des risques pour que le reste de la journée se soit déroulé dans la même tonalité.

Certes, il est possible que Sophie ait eu à l'adolescence des démêlés avec sa propre mère autour de l'habillement, et que donc la manière dont sa fille s'habille réveille des souvenirs de conflits… mais la répression de sa colère envers son mari suffit à expliquer son énervement. Sophie était tendue, elle a projeté cette tension sur sa fille.

Parfois, une goutte d'eau suffit à faire déborder le vase, un détail, un pas de travers de l'enfant et nous hurlons. Parfois, l'enfant ne fait rien du tout. Son statut d'infériorité suffit à nous exaspérer. Sa dépendance, ses attentes nous insupportent. Parfois, il nous provoque. Car l'enfant non seulement ne se défend pas contre les projections dont il est l'objet, mais a tendance à les justifier. En effet, il semble se mettre inconsciemment au service des besoins émotionnels de ses parents. Percevant la colère intérieure de son parent, il peut provoquer ce dernier jusqu'à ce qu'il libère cette émotion bloquée. En réalité, ce n'est pas par altruisme que l'enfant se met ainsi au service de son parent. Mais il perçoit la tension de son papa ou de sa maman sans pouvoir mettre des mots dessus puisque le parent n'en parle pas, ne l'assume pas. Il se sent tendu lui aussi, sans pouvoir en identifier la cause. Selon l'âge, il pleure davantage, bouge pour évacuer la tension, court partout, saute, parle plus fort, pleurniche, fait une colère, demande de l'attention, s'habille n'importe comment, vole une Mobylette, se fait des piercings… Tous comportements difficiles à tolérer pour un adulte prisonnier d'une colère intérieure ! La fureur finit par exploser : « Il l'a bien cherché ! », conclura le parent qui préfère rester inconscient des vrais motifs de son attitude.

Il faut dire qu'il n'est pas toujours simple d'identifier les vraies causes de nos colères. Somme toute, nous les avions réprimées, nous avions trouvé plus protecteur de ne pas les montrer. Nous avons le plus souvent oublié jusqu'à la conscience de ce qui s'est passé. Sans compter que les racines de nos fureurs peuvent remonter loin dans le temps.

Les différents événements de la vie quotidienne réveillent les sentiments retenus. L'enfant souvent reçoit la fureur car les conjoints ont tendance à en « protéger » leur relation de couple. Le conjoint peut nous rejeter, l'enfant non… Et puis notre éducation souvent nous a enseigné que nous avions le droit d'exprimer notre courroux dès lors que nous sommes en situation de pouvoir sur autrui. Nos parents nous l'ont démontré.

Eh oui, pour son drame, notre enfant nous intimide moins que notre conjoint ou notre belle-mère. La tentation est forte de le laisser recevoir la douche à la place d'un autre. Toute colère réprimée contre qui que ce soit, conjoint, collègue, patron, belle-mère ou voisin, a tendance à sortir sur l'enfant, tout simplement parce qu'il est de statut « inférieur » et dépendant de nous.

10. Quand il s'oppose

« Je ne supporte pas qu'il me dise non. »

« Elle n'a pas à me tenir tête. »

« Ah, il veut avoir son mot à dire, il va voir qui est le chef. »

« Elle a son petit caractère, mais je vais la mater. »

« Il est rebelle. »

« Je n'aime pas qu'elle me résiste. »

Quand le parent n'a pas un sentiment de soi bien solide à l'intérieur, quand il n'est pas certain de sa place, il peut mal réagir aux manifestations d'opposition de son enfant. Au lieu d'entendre la contestation comme une manifestation du sentiment d'identité de l'enfant, il l'entend comme dirigé contre lui. L'expression du *non,* dans lequel l'enfant se positionne par rapport à lui-même, est détournée dans un sens relationnel. Le parent interprète le non comme un affront personnel.

Du coup, cela le devient. Plus le parent augmente son pouvoir sur l'enfant et se montre autoritaire, plus l'enfant doit se défendre pour maintenir son sentiment d'identité. L'enfant, piégé dans ce jeu de pouvoir, n'aura plus que cette option de l'opposition pour ne pas se nier. Refus et contestation devenant des remparts contre les attaques parentales. Le *non* perd alors son sens et ses fonctions premières qui étaient de permettre à l'enfant d'élaborer les frontières de son identité, de répondre aux questions « qu'est-ce qui est *moi* et qu'est-ce qui est *non-moi*, qu'est-ce que *je* veux, qu'est-ce que *je* sens, qu'est-ce que *je* pense, de quoi *j*'ai envie, moi, et en définitive : qui suis-*je* ? ».

Si le parent réprimande toute contestation ou refus, l'opposition a tendance à se systématiser, elle peut devenir un style relationnel, un jeu de pouvoir permanent dont le parent a tendance à accuser l'enfant parce qu'il oublie l'avoir initié.

« Il veut me tenir la dragée haute. / Je veux qu'il baisse les yeux devant moi. / Pas question qu'il me tienne tête. / Il doit obéir. / Je vais le dompter. » On entend combien le parent qui dit cela parle de hiérarchie, de place, de supériorité et d'infériorité relative.

Pour sortir de ce cercle vicieux, la clé est à l'intérieur du parent. Aucun enfant n'est rebelle ou ne s'oppose à ses parents par plaisir. S'il le fait, c'est que c'est la seule solution qu'il ait trouvée pour répondre à ses besoins.

Ne pas supporter l'opposition, c'est ne pas supporter l'autre comme séparé, différent, ne pas supporter qu'il ait une identité propre. Bien sûr, personne ne voudra reconnaître qu'il refuse à son enfant de construire son identité ou qu'il a besoin d'avoir du pouvoir sur son enfant pour se sentir exister... Reste qu'un parent qui supporte mal l'opposition de son enfant a tout intérêt à se poser des questions sur sa propre identité. Au-delà des apparences, au-delà du masque que nous avons appris à porter pour nous faire accepter socialement, qui suis-je ? Ai-je un sentiment profond de mon identité ? Plus le sentiment de notre identité est enraciné dans notre corps, plus il est facile de tolérer l'opposition... et moins il y en aura. Puisque l'enfant aura moins besoin de se défendre.

Voyons ce qui peut se passer si je suis une maman avec sa fille de trois ans devant l'armoire à vêtements.

Si mon sentiment d'identité est faible, je veux que ma fille mette la robe que j'ai choisie. Si elle me fait plaisir, je me sens confirmée dans ma personne : j'ai « bien » choisi, je suis fière de moi. Si elle refuse, je peux interpréter que je me suis trompée dans mon choix, je me sens remise en cause dans ma capacité de bonne mère.

Si mon identité est solide, je sais qu'elle a besoin de choisir par elle-même. Je lui propose la robe bleue ou la rouge. Je lui permets de faire son choix parce que, quelle que soit la couleur de la robe, je reste la même personne.

11. Caprices ?

Mathis se met à pleurer de rage parce qu'il ne parvient pas à porter sa cuillère à sa bouche. Sa mère lui prend la cuillère des mains et tente de le nourrir, provoquant bien évidemment un redoublement de pleurs furieux. La mère se sent démunie, coupable, elle s'énerve. Ressentant le stress de sa mère, l'enfant hurle.

« Cet enfant est insupportable, éclate la mère, je n'en peux plus de ses caprices. » Elle sent en elle une intense agressivité à l'égard du bébé. Mais elle refuse de reconnaître cette fureur comme sienne ; elle ne veut surtout pas se sentir méchante, alors elle attribue cette méchanceté à son fils, projette sur lui la colère et l'étiquette : « Tu es vilain et capricieux. »

L'enfant terrorisé n'a d'autre ressource que de la croire. Sans toutefois avoir la possibilité de comprendre ce qui a bien pu mettre sa mère dans cet état. Il n'a rien fait de mal. Il est victime… Il se sent désormais mauvais, coupable.

La mère plaide non coupable, elle se vit victime de son enfant. C'est lui qui la « rend folle », qui la « fait sortir de ses gonds », lui qui la persécute. L'enfant a tellement besoin de ses parents, il ne peut se permettre de les percevoir défaillants. Ils ont toute-puissance sur lui, il a absolument besoin de les croire toujours justes, bons et compétents. Il les idéalise. Pour protéger ses parents de ses sentiments négatifs à leur égard, il les retourne contre lui, acceptant ainsi la définition du parent : « Je suis méchant. » L'enfant blessé se sent coupable d'avoir été frappé.

Quand le parent ne sait pas décoder ce qui se passe, il peut en déduire que l'enfant n'a aucune raison de se comporter ainsi. Il conclut un peu facilement : « C'est un caprice. » Ce qui est à la fois une dévalorisation de l'enfant et du problème.

Selon le *Petit Robert* un des sens du caprice est :

1. détermination arbitraire, envie subite et passagère, fondée sur la fantaisie et l'humeur. À rapprocher d'inconstance, légèreté, instabilité mais aussi de désir, envie, coup de tête, lubie, tocade ;

2. changements fréquents, les caprices de la mode ;

3. amourette, amour, tocade qui ne dure pas ;

4. exigence accompagnée de colère.

On perçoit bien dans ce mot l'aspect inconstant, non raisonné, non raisonnable et le côté futile. Dans la tête du parent, l'exigence de l'enfant n'est pas liée à un besoin mais à un désir superficiel. C'est une lubie. Sa colère n'est pas justifiée.

« C'est un caprice » est une simplification commode pour les parents : ils peuvent régler le problème par un ordre, une menace ou une punition. Mais cela ne calmera le jeu qu'un temps, ayant pour inconvénient majeur de ne pas résoudre le problème. Ce que les parents nomment caprice étant en réalité l'expression d'un besoin, d'un vécu émotionnel, le problème resurgira tôt ou tard.

Daphné et Pascal viennent avec leur petit garçon de quatre ans. Axel est éveillé, autonome, mais depuis le premier jour, à l'école, il pleure et appelle sa maman toute la journée. Le laisser le matin est un calvaire pour Daphné. Pour Pascal, ce n'est qu'un caprice. Il banalise. « Il faut le laisser, ça va lui passer. » Il a toutefois été d'accord pour venir me voir avec sa femme et son fils, et se montre ouvert à l'exploration d'autres points de vue. Daphné est plus sensible à la détresse de son petit garçon mais se sent très démunie pour y répondre.

C'est la première année d'école maternelle d'Axel. Comme c'est un petit garçon très éveillé, aimant apprendre, sociable et plutôt autonome, les parents s'attendaient à ce qu'il adore l'école, comme sa sœur aînée. Or, dès le départ, il s'accroche à sa mère, refuse qu'elle le laisse. Convaincue par l'enseignante que, dès qu'elle sera partie Axel séchera ses larmes, Daphné s'en va. Le soir, elle apprend qu'Axel a pleuré une bonne partie de la journée. « Ça va passer, vous allez voir, il va s'habituer », dit la maîtresse. Mais non, ça ne passe pas. Tous les matins, Axel est désespéré au moment du départ, terrifié à l'idée que sa mère ne revienne pas. Il réagit comme s'il craignait d'être abandonné. Certes, Axel est très proche de sa maman, mais justement, cette dernière a eu le sentiment de lui fournir toute la sécurité dont il avait besoin. Elle travaille, Axel est habitué à être gardé à l'extérieur avec d'autres enfants. Quelles peuvent donc être les causes de ces émotions intenses face à l'école ? Il manifeste une peur de l'abandon. S'agit-il de la réactivation d'un abandon passé ? Nous explorons son histoire. Non, il n'a pas vécu de séparation ayant pu être traumatique, pas même à la maternité.

Lorsque rien dans le passé « réel » de l'enfant ne peut expliquer sa réaction, il s'agit de chercher un peu plus loin, dans l'inconscient des deux parents. En première analyse, rien ne résonne ni chez l'un ni chez l'autre des deux parents. Le papa, interpellé par la séance, décide de s'inscrire à un stage de « grammaire des émotions »[1]. Lors d'un exercice d'expression émotionnelle, soudain son ventre se crispe. Le manque, la détresse de la perte et de la solitude l'assaillent. « Elle m'a abandonné ! » Il revoit les images, un visage s'impose… Celui de sa nourrice. Il se souvient de son désespoir quand elle est partie. Il était petit… Quel âge exactement ?

Rentré chez lui, il questionne sa mère. « Ah, tu t'en rappelles ! C'est si loin. Tu avais quel âge quand elle est partie ? Oui, je m'en souviens bien, c'est facile, nous l'avons licenciée quand tu es entré à l'école ! Mais pourquoi me demandes-tu ça, tu l'as très bien vécu, tu n'as rien dit, pas pleuré ? Tout s'est très bien passé. »

Tout s'éclairait.

Bien sûr, c'était logique pour les parents, puisque Pascal allait à l'école, il n'aurait plus besoin d'une gouvernante toute la journée. Une personne allant le chercher le soir suffirait. Mais pour le petit garçon c'est tout un monde qui s'écroulait. Sa mère n'était ni très affectueuse ni très présente. Sa nounou lui avait servi de maman, c'était elle qui le berçait dans ses bras quand il pleurait la nuit, elle qui le consolait, elle qui le dévorait de baisers… Elle s'en est allée, et avec elle son odeur, sa chaleur, ses câlins, c'est toute sa sécurité que Pascal a perdue. Elle est partie et il s'est retrouvé à l'école. Dans un espace nouveau, sans repère.

Selon la mère de Pascal, tout s'était très bien passé, il s'est parfaitement adapté à sa nouvelle vie d'écolier et le départ

---

1. Plus d'informations sur le stage « La grammaire des émotions » sur le site www.filliozat.net.

de sa gouvernante l'a laissé indifférent. Elle n'avait rien vu, rien entendu. Elle en avait déduit que « tout allait bien pour lui ». La vraie raison est qu'elle n'avait rien vu parce qu'elle ne regardait pas. Elle n'avait rien entendu parce qu'elle n'écoutait pas. Sans espace pour pleurer et dire, Pascal avait fait un petit paquet à l'intérieur de lui avec sa douleur et l'avait enfermé serré en lui. Pour continuer à vivre, il avait effacé jusqu'au souvenir de cette nounou. Un souvenir qui n'est réapparu que lorsqu'il a enfin reçu la permission d'exprimer sa rage et ses larmes.

Pascal a retrouvé l'intensité de ses affects d'alors, il a pleuré sa nounou, repris contact avec la colère d'être abandonné, entendu sa terreur et sa solitude de petit garçon. Après cela, il a pu raconter à son fils ce qu'il avait vécu au même âge que lui. Axel a écouté attentivement. Dès le lendemain matin, après un baiser à son papa, il s'est précipité vers ses camarades à l'école. Toute la journée s'est déroulée sans un pleur.

La transformation a été spectaculaire. Les émotions que manifestait Axel ne lui appartenaient pas en propre. Il répétait ce que son père avait vécu. Il a été libéré de cette charge par la verbalisation de son père.

Il n'est pas toujours facile de comprendre ce qui se passe pour un enfant. Mais gardons-nous de conclure hâtivement au caprice. Quand le parent ne saisit pas les motivations des comportements de ses enfants, il y réagit de manière forcément inappropriée, déclenchant chez eux de nouvelles émotions qui désarçonnent. L'autorité, la punition, le jugement tentent le parent, qui reprend ainsi le contrôle de la situation, mais bien sûr aggravent le problème et l'éloignent de plus en plus de ses enfants.

12. Qui a le pouvoir ?

Qui a le pouvoir ? C'est une question que des parents se posent parfois. Les tenants de la méthode autoritaire revendiquent le pouvoir du parent sur l'enfant. Les autres penchent plutôt pour des relations empreintes de respect et des rapports sans jeux de pouvoir. Nous avons évoqué les caprices, considérés comme des jeux de pouvoir de l'enfant sur le parent et qui sont en réalité plus souvent des jeux de pouvoir du parent sur l'enfant. En fait, dès lors que nous nous posons la question « qui a le pouvoir ? », nous sommes dans un jeu de pouvoir.

Quels sont nos enjeux autour du pouvoir ? Et comment les vivre de manière saine et constructive ?

Le nourrisson exerce un certain *pouvoir* naturel sur ses parents : il *peut* pleurer, régurgiter ou se réveiller à n'importe quelle heure... Il en a le pouvoir. D'ici à interpréter que, par ces comportements, il *prend* le pouvoir sur ses parents, il y a un fossé qu'hélas certains franchissent allègrement. Les parents ayant eux-mêmes reçu peu d'attention peuvent mal supporter de devoir en donner et avoir tendance à projeter sur leur enfant le contrôle qu'exerçaient sur eux leurs propres parents. Ils se rebellent, se fâchent contre leur bébé et tentent de réduire ce qu'ils perçoivent comme une emprise : « Il pleure pour qu'on le prenne. » Oui, sûrement, mais n'est-ce pas dans l'ordre des choses ? Le bébé cherche à satisfaire un besoin. L'adulte empêtré dans ses enjeux autour du pouvoir a tendance à interpréter : « Il cherche à me manipuler. »

Daniel ne joue pas avec ses enfants. Il considère qu'ils doivent apprendre à s'amuser seuls et, dès qu'il rentre du travail, s'absorbe dans la lecture de son journal ou surfe sur Internet. Il a des idées très arrêtées sur ce que doivent faire les enfants. Il n'est pas prêt à modifier quoi que ce soit à son quotidien pour leur faire une place. Depuis leur naissance, ils ne doivent pas faire de bruit, dormir aux heures dites et se conformer à ses horaires à lui. Pas question de leur laisser un quelconque pouvoir de modifier sa vie : « Tu ne m'obligeras pas à faire quoi que ce soit ! » En réalité, c'est à son père que Daniel s'adresse. Mais comme il n'ose pas se confronter à son paternel, il lui est plus facile de refuser tout pouvoir à son bébé.

Sans arriver à la rébellion de Daniel, quand le parent a des enjeux autour du pouvoir, il a du mal à gérer toutes les situations de confrontation ou de conflit. Lorsque l'enfant s'oppose, refuse de manger, de dormir ou de mettre ses chaussures, le parent a tendance à interpréter ces faits et gestes en termes de prises de pouvoir sur lui : « Il me cherche », « Il veut me tester ».

Jade, dix-huit mois, ouvre le placard interdit en observant ostensiblement la réaction de sa maman. « Elle me nargue, elle cherche les limites », croit Valérie. À cet âge, le cerveau n'est pas suffisamment mature pour que l'enfant puisse se redire à lui-même un interdit énoncé par l'adulte. Le tout-petit témoigne d'un début d'intégration en suspendant un instant son geste et en regardant l'adulte..., ce que souvent ce dernier interprète hélas comme une provocation alors qu'il ne s'agit que d'une sorte d'appel. L'enfant répète son geste pour obtenir que le parent répète les mots. Si le parent crie, l'enfant aura aussi tendance à réitérer son geste, nous l'avons vu plus haut avec la petite fille qui jetait des cailloux, pour assimiler cette étrange réaction, pour tenter de retrouver une maîtrise sur cet enchaînement « je lance les cailloux, papa crie ». Nos tout-petits sont davantage à se demander « comment ça marche, la vie ? » que « je veux embêter ma maman ».

Au cours de la troisième année, l'enfant est devenu capable de se redire les règles à lui-même, mais pas encore silencieusement dans sa tête. Il les formule à haute voix, tout en faisant ce qu'il dit devoir ne pas faire : « Il ne faut pas toucher au tiroir de papa… », dit-il avec componction, tout en ouvrant le tiroir. Ce que les parents ont tendance à interpréter là encore comme un défi de leur autorité ! La gravité même avec laquelle l'enfant prononce l'interdit devrait alerter le parent. Ce n'est clairement pas de l'insolence, il y met tant de sérieux. Il travaille à intégrer l'interdit.

Erica fait, selon son papa, un énorme caprice ! Elle ne veut pas s'habiller, ne veut pas sortir se promener comme son papa en a décidé… Nous aimerions parfois que nos enfants nous suivent sans discuter. Las, ils veulent être des personnes, avoir une personnalité et donc décider par eux-mêmes. Erica n'a que deux ans. Son papa la contraint. Ils sortent. Mais, pour calmer ses cris, il lui donne sa tototte. Ils se promènent donc. Elle, suçotant dans sa poussette. Lui, devisant avec son frère. Un peu plus tard, le papa trouve qu'elle a suffisamment suçoté. Heureusement, il n'est pas trop autoritaire et demande à sa fille : « Tu me donnes ta tototte ? » Ah ! Enfin une question. Mais pour l'heure, Erica ne peut pas encore dire oui. Elle a d'abord besoin de vérifier que la question de son père est une vraie question et non une exigence. Pour que son oui soit un vrai oui d'affirmation et non de soumission, Erica dit d'abord :

– Non, je n'ai pas fini mon caprice.

Un peu plus tard, elle retire la totote de sa bouche.

– Maintenant ? demande son papa… un peu hâtivement.

– Non, encore un petit peu.

Elle la garde encore quelques instants et la lui tend. En lui laissant le choix, son papa lui a permis de retrouver sa dignité, de se sentir une personne à part entière. Il y a alors trois gagnants : l'enfant, le parent et leur relation.

Le papa d'Erica n'ayant pas trop d'enjeux autour du pouvoir n'avait pas « besoin de se faire obéir pour se sentir exister ». Mais René, lui, a besoin d'être obéi sous peine de rencontrer une piètre image de lui-même. « Je veux que mes enfants me respectent », clame-t-il pour justifier les coups qu'il inflige à son fils. Mais le fils ne respecte pas son père ; il le craint ! Ces deux mots sont encore trop souvent accolés. Pourtant crainte et respect sont antinomiques. Le véritable respect est un regard sur l'autre. Or on n'ose même pas lever les yeux sur celui qu'on craint. Il y a dans le respect une notion d'admiration : regarder l'autre vivre sa vie. « Respect », disent les jeunes aujourd'hui quand ils tirent leur chapeau. C'est quand une personne ne se sent pas digne de respect qu'elle cherche à s'imposer par la crainte. Elle se montre autoritaire parce qu'elle n'a pas d'autorité naturelle, elle ne manifeste pas son autorité de compétence, n'a pas confiance en elle ou n'a simplement pas les compétences. Prendre le pouvoir sur l'autre est une tentative d'évitement de son regard.

Quand une personne se sent trop impuissante, quand il y a trop de « je ne peux pas » dans sa vie, elle peut être tentée de faire usage de la force pour contraindre autrui. Le constat de son pouvoir sur l'autre, fût-il son enfant, lui redonne une illusion de puissance. En manque de *pouvoir de,* nous avons tendance à abuser de notre *pouvoir sur* pour tenter de restaurer un tant soit peu notre image. Plus le parent manque de puissance personnelle, plus il va chercher le pouvoir sur son enfant et se montrer autoritaire.

Quand l'adulte a recours au pouvoir, il perd en crédibilité. Mais pour conserver l'illusion d'être protégé par son parent, l'enfant préfère souvent se dévaloriser. Il idéalise son parent, justifie son autoritarisme et s'autoaccuse. C'est lui le coupable. Les enfants ont besoin d'avoir de « bons parents », sinon ils se sentiraient en danger. Justifier les actes parentaux est important à leurs yeux.

– Mon papa me frappe parce que je ne suis pas sage.

– Tu n'aimes pas être tapé. Comment cela se fait alors que tu continues à ne pas être sage ?

– Je ne sais pas.

– Ça ne marche pas donc ce que fait ton papa.

Silence.

– Je suis infernal.

– Tu fais exprès ?

– Non !… Je sais qu'il ne faut pas le faire, mais je le fais quand même.

Le papa tape son fils pour lui apprendre à maîtriser un comportement qui n'est pas sous son contrôle. Ce serait clairement une meilleure idée d'aider l'enfant à ramener son comportement sous son contrôle, mais cela nécessiterait que le parent ait davantage de maîtrise de lui-même.

Zoé raconte ses pulsions destructrices envers son fils. Ses rêves terribles dans lesquels elle violente son bébé. Ses actes aussi. Un jour, elle a placé son bébé sur la banquette arrière sans l'attacher, il est tombé au premier coup de frein. Elle s'en voulait tellement, mais elle l'avait fait. Elle me confie combien il est difficile pour elle de supporter la dépendance totale de cette petite vie. Elle ne supporte pas cette responsabilité qu'elle doit assumer seule, le père n'ayant pas désiré reconnaître cet enfant. Elle-même a été violentée petite.

Les parents sont adultes, bien plus grands et plus forts physiquement que les enfants. Nous sommes capables de faire des hypothèses, des déductions, de résoudre des problèmes. Nous avons une bonne expérience de la vie derrière nous. Nous possédons toutes sortes de connaissances, maîtrisons nombre d'outils et de techniques. De ce fait, une responsabilité nous incombe. Les capacités des tout-petits sont fascinantes. Ils ne peuvent pourtant se passer de parents. Ils apprennent toutes sortes de choses « par eux-mêmes », c'est-à-dire par imitation inconsciente et expérimentation. Ils parviennent à maîtriser des compétences aussi complexes que la marche ou l'expression dans leur langue maternelle. Seuls ? Des enfants vraiment seuls n'apprennent rien du tout. Ils ne marchent ni ne parlent. Certaines conditions de sécurité affective et d'environnement doivent être réunies pour favoriser ces apprentissages. Ils ont le droit de bénéficier de ces conditions. Elles sont d'ailleurs garanties par la déclaration des Droits de l'enfant[1].

Seulement voilà, le rapport au pouvoir n'est pas chose simple… Et une personne qui a du pouvoir sur autrui a tendance à en abuser, Montesquieu le soulignait déjà dans *L'Esprit des lois*.

Le « pouvoir sur » est à l'origine de la violence. Il est souvent issu de la difficulté à éprouver son « pouvoir de ». « Pouvoir » est un verbe. « J'ai du pouvoir » signifie « Je peux/j'ai la

---

1. Adoptée le 20 novembre 1959 par l'Assemblée générale des Nations unies.

capacité de ». En ce sens, le nourrisson a peu de pouvoir. L'adulte en a beaucoup.

« Je peux » a aussi la signification « je suis libre de », comme dans la phrase « Je peux aller au cinéma » = « Je suis libre d'aller au cinéma ».

Lorsque nous nous découvrons davantage de « pouvoir de » que notre voisin, nous pouvons être tenté d'en conclure à une supériorité. Nous pouvons en tirer des prérogatives, davantage de droits, voire des droits sur lui. C'est ainsi que l'on peut être susceptible de passer du « pouvoir de » au « pouvoir sur ».

Lorsque l'autre est dépendant, le « puissant » peut le considérer comme son obligé, ayant donc des devoirs envers lui. C'est la dynamique féodale. Le seigneur assure la protection du serf, ce dernier a des devoirs envers lui et peu de droits.

Les parents dans le passé ont eu tendance à penser qu'ils avaient tous les droits sur l'enfant et lui des devoirs envers eux. Parallèlement à la naissance de l'idée des Droits de l'enfant, le pouvoir des parents a été considérablement réduit par la loi. Un parent n'a plus le droit de tuer son enfant. Il n'a plus le droit de le violer, de le maltraiter gravement. Il n'a plus le droit de l'abandonner dans la rue. Hélas, les enfants ne le savent pas toujours, paniquent et souffrent quand leurs géniteurs s'emportent et menacent : « Je vais te tuer ! » ou, plus couramment, « Si tu ne viens pas, je m'en vais et je te laisse ». La limitation des pouvoirs protège les droits. Droits et devoirs sont au cœur des conflits parent/enfant.

Les parents sont responsables du bien-être et du bon développement physique et affectif de leur enfant. C'est une responsabilité immense, parfois lourde à porter. Quand notre histoire avec le pouvoir est saine, on ne rencontre guère de difficulté à être investi de tant de responsabilité.

Nous savons exercer un pouvoir naturel. En revanche, quand on a exagérément subi le pouvoir d'autrui, notamment celui de nos propres parents, quand on a été humilié, réduit à l'impuissance, bafoué, considéré comme sans droit, de deux choses l'une :

– soit on se venge sur plus petit que soi. Sa dépendance nous autorise à exercer un pouvoir excessif. Enfin de l'autre côté de la barrière, nous libérons les tensions accumulées ;

– soit on est effaré par ce pouvoir, et les mécanismes défensifs sont nombreux. Ils vont de la fuite pure et simple à l'agression contre ce petit qui nous impose une telle difficulté.

Certaines personnes sont conscientes de ce risque et préfèrent ne pas mettre d'enfant au monde. Elles ont peur de ne pas pouvoir inhiber leur violence, d'être aux prises avec des réactions émotionnelles tellement violentes qu'elles pourraient maltraiter leur enfant, ce qu'elles ne veulent pas.

Ainsi, Yvonne n'a jamais voulu être maman. Petite fille, elle a été gravement maltraitée, et a toujours craint de répéter ce qui lui était arrivé. Elle avait conscience du risque de décharger sa violence contre un être qui serait totalement dépendant d'elle. Elle se privait de tout pouvoir sur autrui pour ne pas risquer de voir surgir ses impulsions de haine.

D'autres craignent une limitation de leur « pouvoir de ». Ils n'ont pas peur d'attenter à cette petite vie, mais voient dans une naissance une menace de restriction de leur liberté. « Je ne veux pas être responsable d'un enfant. » Ils revendiquent le besoin de se sentir libres, de « faire ce qu'ils veulent », probablement pour rattraper un temps où ils ne l'étaient pas ou parce qu'ils ont été témoins du sacrifice d'un de leurs parents. Quand on a été trop contraint dans son enfance, toute responsabilité d'autrui peut constituer une perspective d'enfermement. La personne projette sur l'enfant le pouvoir qu'avaient ses parents de restreindre sa liberté.

Quand notre maman nous a convaincus qu'elle avait sacrifié sa vie, si elle s'est considérée comme prisonnière du fait de la naissance de ses enfants, il se peut que nous ne voulions pas faire la même erreur. En réalité, ce n'est pas l'enfant qui enferme la mère. C'est la société, parfois le mari. Ce ne sont pas les enfants qui l'ont empêchée de poursuivre ses études ou sa carrière, c'est la société/sa famille qui ne l'a pas aidée ou soutenue pour qu'elle puisse assurer les deux. Mais parce qu'elle était dépendante, elle n'osait pas remettre la situation en cause. Elle a préféré elle aussi croire que c'est l'enfant qui l'a empêchée de… Cette croyance est profondément nocive pour les relations parent-enfant.

Certes, un enfant modifie le quotidien. Le temps est rythmé par ses besoins. Il s'agit pour le parent d'y trouver sa liberté, parce qu'amour rime avec liberté, pas avec prison. S'il se sent prisonnier de son enfant, le parent ne peut guère qu'en concevoir de la rancœur envers lui.

Il arrive qu'on se retrouve parent sans l'avoir prémédité… Parfois les craintes quant à la responsabilité et à la perte de liberté s'envolent, parfois non. Pour que responsabilité ne rime ni avec culpabilité ni avec frustration, un accompagnement serait alors bénéfique. Sinon aimer risque de ne pas être un verbe facile à conjuguer au quotidien.

Chaque fois que nous avons le sentiment que l'enfant cherche à exercer du pouvoir sur nous, prenons le temps de raisonner en termes de besoins.

13. Intrusions intimes

Nadège, quinze ans, est très angoissée. Ses crises la réveillent la nuit. Elle panique dans la rue, dans les transports… L'angoisse commence à envahir toute son existence. Que se passe-t-il ? Dès qu'elle est en confiance, Nadège parle très facilement : « Ce n'est pas moi qui suis malade, c'est ma mère ! »

Sa mère, hyperprotectrice, la laisse peu sortir. Elle vérifie ses moindres gestes, téléphone pour vérifier ses dires, inspecte ses affaires. Elle prétexte la nécessité de passer l'aspirateur ou de faire le ménage pour entrer n'importe quand dans sa chambre, même et surtout quand elle reçoit des amis. Bref, une maman omniprésente et plutôt pesante ! Nadège n'en peut plus. Cependant, elle n'ose pas exprimer vraiment sa colère. Elle supporte les intrusions de sa mère en silence, et ne se risque qu'à quelques soupirs.

Elle perçoit combien sa maman est mal et malheureuse. Elle voudrait tant la voir heureuse. Alors elle se soumet. Elle se contente de bouder et de se renfermer sur elle-même. La rage retenue bouillonne en elle. Elle ne s'autorise pas à la laisser émerger. Elle se contient… jusqu'à l'extrême… Et c'est la crise d'angoisse.

L'angoisse envahit sa vie… et détourne l'attention pour que personne, pas même elle, ne voie le véritable envahisseur : sa mère.

Tout parent a le désir de protéger son enfant et voudrait prévenir les écueils, aplanir la route devant lui pour qu'il ne tombe pas. Nous avons tous envie d'éviter à nos petits des expériences douloureuses. Nous préférerions être malades à leur place, souffrir à leur place… La plupart des parents laissent toutefois leurs petits traverser des épreuves, avoir mal, faire des efforts, gravir péniblement la pente. Ils sont là, bien sûr, à leurs côtés, mais ne se mettent pas à leur place. Ils les laissent vivre ce qu'ils ont à vivre et respectent leur jardin secret.

D'autres n'y arrivent pas, pas totalement ou pas du tout. La fusion est trop forte. Leur enfant a mal ? Ce sont eux qui ont mal. Tout ce qui arrive à leur enfant leur arrive. Ils cherchent à contrôler l'environnement pour éviter les risques… Ils croient protéger, mais la surprotection rend l'enfant fragile. Si maman me protège ainsi, c'est qu'elle pense que je suis incapable de me défendre. Si maman dit que je suis incapable, c'est que je le suis. Si maman me protège, c'est aussi qu'il y a danger. Je me forge donc des croyances sur la dangerosité de l'extérieur, des autres… de tout ce qui n'est pas maman !

Quel parent n'a jamais eu envie de lire le journal intime de sa fille, le blog de son fils, envie d'en savoir plus…, sur sa vie sexuelle, sa vie amoureuse, ses petits secrets ? Un élan que certains ont du mal à contenir. N'ayant pas été respectés dans leur enfance ou dans leur adolescence, ils ont du mal à accepter que leur ado ne soit plus un enfant, leur enfant, une partie d'eux.

Inéluctablement, le bébé devient bambin, enfant, puis adolescent, avant de nous quitter jeune adulte. Nourrir, laver, langer, habiller, coiffer, décider pour lui... Le parent doit abandonner tout cela au fur et à mesure, se retirer et traverser ces deuils successifs.

Certains parents n'ayant pas pu se construire, n'ayant pas de barrières intérieures peuvent pénétrer sur le territoire intime de leur enfant sans avoir conscience qu'ils transgressent une frontière. Pour eux, il n'y a pas de frontière. Ils n'en veulent pas. Ils ne supportent pas de perdre leur petit, de le voir grandir, de ne plus avoir le contrôle... Ils ont déjà si peu de contrôle sur leur propre vie.

Plus nous aurons nous-mêmes été respectés enfants, plus nous saurons respecter notre enfant. Nous saurons reconnaître nos impulsions intrusives et les réprimer comme telles. En revanche, si notre mère a ouvert notre courrier, lu nos carnets intimes, est entrée dans notre chambre sans frapper et nous a fait croire que c'était pour notre bien..., nous pourrons être tentés de faire de même avec nos enfants puisque nos parents auront effacé non seulement les frontières, mais la conscience de leur nécessité.

Le parent fait effraction dans l'intimité de son enfant parce qu'il n'a pas de limites. Celles-ci se sont effondrées quand il était petit. Il n'arrive pas à voir l'enfant comme une personne. Lui-même a été considéré comme un objet. Exercer du contrôle sur son enfant donne l'illusion de reprise de contrôle sur sa propre existence. Vérifier son pouvoir sur l'enfant pour contrebalancer le sentiment (souvent inconscient) d'impuissance.

14. Papy fait des préférences

« **M**ais si, ton papa, il t'aime. Il est énervé, mais il t'aime… »

« Ne fais pas attention, ta maman, elle dit ça, mais elle ne le pense pas. »

« C'est vrai, ton père ne t'appelle jamais, et il a oublié ton anniversaire, mais tu sais, il t'aime. »

« Elle est fâchée, mais elle t'aime fort, ta maman »…

À quoi nous servent donc ces petites phrases ? Elles ne sont pas forcément vraies. Mentir aux enfants ne fait que semer la confusion dans leur esprit, dans leurs représentations de l'amour. De plus, n'est-ce pas à chaque parent de gérer sa propre relation à ses enfants ? Qu'est-ce qui nous pousse à protéger l'autre parent de la colère de l'enfant ? Car c'est bien la fonction de ces mots : « Ne sois pas en colère contre lui/elle, comprends le/la, ne lui en veut pas… » Hélas, bien sûr, trop souvent l'enfant « comprend ». Il comprend son parent, il comprend aussi que son parent est plus important que lui. Que les sentiments et besoins de son parent sont plus importants que les siens. Il enfonce au-dedans de lui le sentiment de ne pas être aimé, de ne pas

92

être aimable. D'autant qu'il ne manque pas de noter que lorsque lui oublie un rendez-vous, de dire bonjour ou se montre inattentif, cela lui est reproché. Le parent est excusé, lui non.

L'intention consciente du parent qui minimise et excuse l'autre est peut-être d'éviter à l'enfant de se sentir blessé. Pourtant il l'est alors doublement, puisque, blessé par l'un de ses parents, il ne trouve même pas d'écoute ou de réconfort auprès de l'autre. Ce dernier lui montre qu'il ne le comprend pas, l'incite à réprimer sa colère et même sa souffrance. Nous savons combien dire « mais si, je t'aime » ne sert à rien. *A fortiori* soutenir à un enfant que son autre parent l'aime est bien inutile. Cela ne modifiera en rien sa conviction profonde, tout en altérant sa confiance en vous. En disant « elle/il t'aime », vous lui dites non seulement : « tu n'as pas à être en colère », mais aussi « ce que tu sens n'est pas juste, tu ne peux pas faire confiance à tes perceptions et je ne veux pas écouter ta souffrance ».

Bien sûr, il ne s'agit pas de dire « ton père ne t'aime pas », mais d'écouter l'enfant exprimer son vécu, mettre des mots sur sa réalité, ses déductions qui deviennent des convictions quand elles restent secrètes, dire à haute voix ce que de toute façon il se dit tout bas.

– Qu'est-ce que tu ressens quand tu entends ta mère crier comme elle vient de le faire ?

– Qu'est-ce que tu te dis dans ta tête quand tu constates que ton papa ne t'a pas appelé ?

Il est important d'être prêt à entendre « Je me dis qu'il/ elle ne m'aime pas beaucoup » et à écouter jusqu'au bout ses pleurs et sa souffrance. C'est dans cet accueil inconditionnel qu'il peut puiser des forces pour oser éventuellement aller parler à son autre parent. Ou tout au moins se sentir entendu et compris. Écouter, entendre, accueillir et mesurer sa souffrance. Il n'y a rien à dire, juste à écouter, compatir. Avec cette conviction que c'est au parent de modifier son comportement pour que l'enfant ait le sentiment d'être aimé, pas à l'enfant de « comprendre ».

S'il peut parler, s'exprimer, dire ce qu'il éprouve et ce qu'il se dit dans sa tête… sans être ni jugé ni muselé, il reprendra confiance, et pourra peut-être se sentir suffisamment en sécurité pour oser parler à celui dont il voit qu'il ne l'aime pas. Les enfants ont bien plus de ressources que nous n'imaginons, pour peu que nous leur permettions de les développer.

« Je sais que tu ne m'aimes pas parce que tu n'aimes pas les filles, mais moi j'ai envie que tu m'aimes », a énoncé fermement une petite Marina de quatre ans.

Son grand-père a levé les yeux de son journal… Et s'il n'a rien su répondre sur l'instant, son regard sur sa petite fille a radicalement changé. Il n'a plus vu « une fille » mais une personne. Il est devenu attentif à cette petite personne… et l'a aimée.

Voici une petite fille qui a osé dire ce qu'elle pensait ! Deux enseignements dans cet exemple. D'une part, la petite-fille ne se voilait pas les yeux, ses parents n'avaient pas cherché à la rassurer comme c'est trop souvent le cas. Elle affrontait sa vérité : son papy ne l'aimait pas. Elle avait une petite idée de la raison : il n'aimait que les garçons. Mais elle trouvait cela injuste et avait décidé d'exprimer son besoin.

Quand nous nous plions aux attitudes fermées d'autrui, nous ne rendons service à personne. Le grand-père aurait pu rester fermé à sa petite-fille toute sa vie. Il avait décidé qu'il n'était pas intéressé par les filles. N'eût été le culot de Marina, il n'aurait jamais connu la complicité, la tendresse, l'amour qu'il a découverts par la suite. Car c'est le second enseignement de l'histoire de Marina : même les papys très fermés peuvent changer !

La certitude si commune « Il ne changera plus à son âge » est profondément fausse. En réalité, elle signifie le plus souvent : j'ai peur de m'exprimer. J'ai peur de son jugement. J'ai peur d'être rejeté, de ne pas être aimé. Parce que nous cherchons à conserver l'illusion d'être aimé malgré l'évidence, en nous berçant de poncifs tels que « il ne le montre pas, mais je sais que je suis importante pour lui, il n'est pas démonstratif… ». Marina n'avait pas peur d'affronter la vérité. Elle savait que son grand-père n'éprouvait pas d'amour pour elle, il ne la regardait pas, ne jouait pas avec elle, ne lui parlait que pour lui donner des ordres. Il lui coupait sa viande, exigeait un bisou le soir, mais il n'y avait pas de complicité, pas de rires, pas de tendresse. Elle pouvait le mesurer. Marina avait la chance d'avoir des parents qui, eux, l'aimaient et lui avaient conféré cette sécurité intérieure lui permettant de se confronter ainsi à son grand-père.

Quand ce sont vos propres parents qui ne vous aiment pas ou qui préfèrent vos frères et sœurs, c'est plus difficile. Parce que le besoin d'amour est bien plus grand, et parce qu'un enfant a davantage de chances d'émouvoir son grand-père que son père. Tout simplement parce que les grands-parents ne sont pas en charge de l'enfant. Les enjeux ne sont plus les mêmes. Le poids de la responsabilité peut paradoxalement rendre le parent moins responsable. La pression à être un « bon parent » rend difficile l'écoute des sentiments de l'enfant.

Quand le conjoint fait des différences entre les enfants, l'autre parent se sent souvent dans l'obligation de banaliser, rassurer, dire à l'enfant qu'il se trompe.

Oui, il arrive que nous ayons des préférences pour un enfant ou un autre. Nous n'aimons pas nos enfants « pareil ». Évoquer ces préférences dans son couple permet de mieux en comprendre l'origine et de regarder ensemble comment pallier cela. La honte est inutile. Nos préférences ont des raisons au-delà des apparences. Parlées, comprises, les différences que nous faisons entre nos enfants peuvent s'évanouir. Cachées, elles se creusent et même si nous sommes très attentifs à ne pas les laisser paraître, les enfants les ressentent.

Garçon ou fille, place dans la famille, aîné ou pas, date de la naissance au même moment qu'un autre événement signifiant… Parlons-en, sans jugement ni accusation !

On peut toujours réparer l'injustice, à condition de la regarder en face.

15. Il est moins facile à aimer qu'un autre...

Est-ce leur caractère qui est en jeu, un quelconque défaut d'origine ou est-ce nous qui montrons un seuil de tolérance plus ou moins haut ? Toujours est-il qu'on n'aime pas tous ses enfants « pareil ». Pas forcément « moins », ni « plus », mais différemment. Le processus est la plupart du temps inconscient, difficile de mettre des mots sur les raisons pour lesquelles nous favorisons tel ou tel enfant. Bien sûr, nous argumentons, justifions nos sentiments par des analyses de leurs caractères respectifs... Est-ce bien là la véritable raison ? Reste que notre regard sur chacun de nos enfants, et donc la relation établie avec lui, est spécifique.

Certains enfants sont moins faciles à aimer que d'autres. Ils nous ressemblent trop ou pas assez. Ils ne répondent pas à nos attentes, ne sont pas l'enfant que nous avions imaginé. Ils nous font sortir de nos gonds, nous avons le sentiment qu'ils nous contraignent à adopter des attitudes envers eux qui nous rebutent. Nous nous retrouvons excédés, durs, parfois violents, voire complètement hystériques... Une image de nous qui ne nous plaît pas du tout ! Plus ou moins consciemment, nous leur en voulons de nous empêcher d'être le parent que nous avions rêvé être. Ils sont une offense. C'est leur faute. La tentation est forte de les rejeter pour cela.

Mais nous sommes leur parent, alors, sauf cas extrême, nous ne les rejetons pas vraiment. Notre image en prendrait encore un coup. Nous instillons juste une petite distance. Elle sera à peine perceptible pour l'entourage, nous l'oublierons nous-mêmes souvent. Seul l'enfant continuera de la percevoir, la vivra comme un gouffre. Pour réduire cette distance, il aura tendance à développer toutes sortes de comportements qui ne feront hélas que la creuser.

La carence d'amour, car cette minuscule distance est suffisante pour empêcher l'intimité et par là l'émotion d'amour, induit des symptômes qui nous exaspèrent encore un peu plus. Il est de plus en plus difficile de sortir de cette boucle de rétroaction.

16. CE CARACTÈRE QUI PARFOIS NOUS EXASPÈRE

Inné ou acquis, le caractère de nos enfants ? Je vous livre tel quel cet article de Benedict Carey, paru originellement dans le *New York Times,* repris et traduit par *Courrier international*, n° 717 (c'est moi qui souligne en italique).

« L'altération d'un seul gène peut causer un bouleversement du comportement social. À l'inverse, l'attention aimante et attentive portée par les parents pourrait aider les bébés animaux à surmonter des différences génétiques. Des scientifiques de l'université McGill à Montréal, ont constaté que les petits rats que leurs mères avaient souvent lavés, câlinés et léchés devenaient moins anxieux que les animaux moins choyés. Dans une étude récente, les chercheurs de McGill montrent que ces *soins apportés par la mère dans les premiers jours de la vie sont à l'origine de changements durables des gènes qui aident les petits rats à affronter les tensions tout au long de leur vie.* Des scientifiques des *National Institutes of Health* ont constaté des phénomènes similaires chez les singes. En effet, des parents aimants et attentifs mettent les petits singes à l'abri d'une variation génétique particulière, qui en l'absence de cette affection les rendrait agressifs et perturbés. Et les petits singes cajolés ont eux aussi tendance à devenir des parents attentifs : l'attachement à leur mère sert en effet de modèle aux liens qu'ils tissent par la suite avec leur propre progéniture. "L'important, c'est que *nous montrons qu'un entourage affectueux peut vraiment améliorer les gènes de l'enfant*", s'enthousiasme Allan Schore, qui étudie les liens d'attachement à la faculté de médecine de l'université de Californie. *La physiologie même de l'enfant peut se modifier et compenser une insuffisance génétique.* »

À la naissance, il est déjà différent de ses frères ! Oui, à la naissance, il a déjà neuf mois de vie...

Les progrès de l'échographie ont pu mettre en évidence que le fœtus réagit au discours de sa mère. Pour tester les réactions fœtales à son environnement, les expérimentateurs mesurent les mouvements de déglutition. Ceux-ci augmentent quand sa maman s'adresse à lui et diminuent quand maman parle avec une copine. Les chercheurs ont même pu montrer, films à l'appui, que l'enfant réagit aux pensées de sa mère. Ce n'est finalement pas si étrange, puisque nos pensées ont un substrat physiologique et que le fœtus est branché sur la physiologie de sa mère.

La voix de la maman est importante pour le fœtus : elle le rassure, le calme. La vie ne se déroule pas toujours sans embûche. S'il se passe quelque chose qui fait peur au fœtus – je suis consciente qu'il s'agit ici d'un abus de langage, il n'a pas encore la capacité d'avoir peur, il s'agit d'une *protopeur* ; le stress est encore assez indifférencié dans son organisme et le système de traitement des émotions n'est pas encore au point –, si donc l'enfant n'est pas rassuré par sa maman ou par une autre personne qui lui parle de ce qui se passe, le bébé vivra par la suite un manque de confiance fondamental. S'il ne comprend pas le vocabulaire que sa maman utilise, il perçoit la musique de sa voix et les modifications physiologiques par l'intermédiaire du cordon ombilical.

La voix et l'odeur du père sont aussi très importantes. Le fœtus a entendu son papa lui parler, et il connaît les molécules de son odeur. Sa mère les inhalait et les lui a transmises. Sur la poitrine de son papa, il retrouve ses repères, il est en sécurité.

L'activité motrice fœtale semble être un indicateur du tempérament que l'on retrouve dans l'enfance. Selon Di Pietro, le comportement ne commence pas à la naissance mais bien avant[1]. Le rythme de la maman, sa production hormonale et surtout son stress ont un impact sur le comportement du fœtus. Les mamans les plus stressées ont tendance à avoir des fœtus plus actifs et des bébés plus irritables.

De nombreux parents observant les différences entre leurs enfants l'attribuent à la génétique : « Mes enfants ne se ressemblent pas alors qu'ils ont reçu la même éducation ! » Ils oublient qu'on ne peut pas donner la même éducation à deux enfants. Même à des jumeaux homozygotes ! Il faut bien en faire téter un en premier et l'autre en second ou, s'ils tètent ensemble, il y en aura forcément un au sein gauche et l'autre au droit et, c'est physiologique, il n'y a pas la même quantité de lait dans les deux seins.

Les parents ne peuvent pas être les mêmes avec l'aîné qu'avec les suivants. Les pédiatres sont nettement plus sollicités. Les parents sont naturellement plus anxieux et plus exigeants. « Avec le premier, nous étions plus sévères, déclare une mère de famille, je l'avoue, il n'avait pas droit à l'erreur. Il fallait qu'il réussisse. Pour le second, tout paraissait moins important. » C'est la fameuse blague : « Quand la tétine de l'aîné tombe par terre, la maman la stérilise. Quand la tétine du second tombe au sol, la maman la passe

---

1. Di Pietro JA & Co, « Development of fetal movement : fetal rate coupling from 20 weeks through term », *Early Human Development, 1996.*

juste sous l'eau. Et quand le troisième lâche la sienne, elle l'essuie vaguement sur son jean ! » Comment peut-on dire que nous leur donnons la même éducation ? Sans compter que le premier est seul enfant, le second a un aîné... et ce n'est pas pareil d'avoir une sœur aînée ou un petit frère.

Du fait de son histoire particulière, l'aîné est en général plus appliqué, plus volontaire, et moins sociable. Le cadet, lui, est statistiquement plus sociable, plus ouvert aux expériences nouvelles, joueur et drôle. Une étude menée par les psychologues Matthew Haley et Bruce Ellis, des universités de l'Arizona et de Christchurch, en Nouvelle-Zélande, a montré, sur près de 350 frères et sœurs, que les aînés sont effectivement plus concentrés, plus consciencieux, plus respectueux des règles. Les cadets apparaissent plus rebelles et plus ouverts : pour eux pas de règles rigoureuses, la nouveauté et les réseaux sociaux comptent davantage[1].

Les aînés sont aussi (statistiquement) plus intelligents que leurs cadets. Tout simplement parce que, seul enfant de la famille pendant un temps, ils bénéficient alors de toute l'attention et sont davantage stimulés intellectuellement. Une étude réalisée à l'université d'Oslo[2] a montré que quand un enfant vient au monde « comme un aîné » parce que le ou les premiers enfants biologiques sont décédés, et qu'il bénéficie donc d'une attention exclusive, son QI rejoint celui d'un aîné. Ce sont donc bien la disponibilité et l'attention du parent qui font la différence. Inutile de se culpabiliser. Mais inutile aussi de culpabiliser l'enfant parce qu'il ne réussit pas aussi bien que son frère...

---

1. *Cerveau et Psycho,* n° 17.
2. P. Kristensen et T. Bjerkedal, « Explaining the relation between birth order and intelligence », *in Science*, vol. 316, *in Cerveau et Psycho,* n° 23.

Quelle que soit l'explication que nous donnions de ces résultats, il reste que le « caractère » de l'enfant en question est davantage déterminé par sa place dans la famille que par ses gènes.

Le caractère est le résultat d'une adaptation à un milieu. C'est sur un terrain génétique donné, une somme d'habitudes émotionnelles, relationnelles et comportementales acquises. Le caractère est l'ensemble des réactions affectives, des attitudes face à soi-même, aux autres et à la vie. Ces attitudes sont élaborées sous la pression conjointe de l'inné et de l'acquis. Elles sont renforcées par les réactions de l'environnement et parfois verrouillées par la pose d'une étiquette : « Bernard est maladroit. » Quand les réactions sont réitérées au point de devenir des habitudes réactionnelles, elles forgent ce que nous appellerons notre « personnalité », c'est-à-dire le masque de théâtre – du grec *persona* – que nous utilisons en société.

Quand les parents ne voient que cette apparence, ils peuvent être énervés par certaines des attitudes ou réactions de leurs enfants. Dès qu'ils reprennent contact avec l'être qui se cache dessous, la compassion et l'amour reviennent. Cette acceptation inconditionnelle forme la base de la confiance nécessaire à l'enfant pour qu'il puisse évoluer, changer, se libérer de ses comportements excessifs et devenir vraiment lui-même.

Nous ne pouvons tout maîtriser dans l'environnement d'un enfant. Chaque être a son parcours propre, se construit avec ses spécificités. Chaque être est à rencontrer. Un choc affectif, le décès d'un parent, un accident de voiture : tout traumatisme peut ébranler le psychisme du nourrisson, voire du fœtus. Les émotions, et notamment les hormones de la peur, passent la barrière du placenta. Les émotions sont des réactions physiologiques : lorsqu'elles ne peuvent être abouties, exprimées, elles laissent des traces physiologiques dans l'organisme. Très tôt, un enfant est susceptible d'incorporer des peurs sans pouvoir les nommer. Ces peurs resurgiront plus tard sous forme de symptômes que ses parents ne comprendront pas forcément. Un stress *in utero,* par exemple, peut perturber l'équilibre biologique de l'estomac, détruire des enzymes. Certaines protéines ne pourront plus être digérées, comme les peptides du gluten par exemple qui migreront jusqu'au cerveau, perturbant les échanges des neuromédiateurs dont ils prendront la place[1]. La cause de l'hyperactivité de l'enfant est alors tout autant physiologique que psychologique puisque l'origine est un choc, une peur. Une psychothérapie est insuffisante, un réensemencement de l'estomac des enzymes manquantes est aussi nécessaire.

La vie est complexe et ne peut se réduire à une cause, une explication. Vie psychique et vie physiologique sont intimement liées. Cela explique qu'il ne soit pas si simple de « déprogrammer » un comportement. Notre cerveau d'adulte est mature et nous permet la maîtrise de nos gestes, attitudes, pensées…, mais celui d'un enfant n'est pas encore suffisamment organisé pour exercer ce contrôle. Le savoir peut nous aider à un peu plus de respect envers nos chérubins sans toutefois nous mener à fermer les yeux. Un enfant en difficulté a davantage besoin d'aide et d'accompagnement que d'injonctions à cesser ou à changer, de menaces ou de contraintes.

---

1. Il semble que les peptides du gluten s'installent dans les boutons synaptiques, empêchant la recapture des neuromédiateurs.

Le « caractère » d'un enfant a des origines multifactoriel-les. Un comportement a toujours une raison. Reste à la trouver, ce qui n'est pas une mince affaire. Dans le doute, abstenons-nous de tout jugement et cherchons ensemble...

Ça vous exaspère ? Lui en souffre probablement plus encore. Allez, c'est vous le parent !

17. Garçon ou fille ?

S i certains parents avouent avoir une préférence soit pour une fille, soit pour un garçon, la plupart disent : « Mais j'accueillerai pareil un enfant de l'autre sexe. » Est-ce bien vrai ? Avoir un premier enfant accroît très sensiblement le niveau de bonheur. On s'en serait douté, des chercheurs l'ont mesuré ! Mais les féministes vont déchanter, il augmenterait de 75 % de plus quand ce premier enfant est un garçon[1]. Il est à noter que l'étude a été menée au Danemark, pays égalitaire s'il en est, et non dans quelque obscur pays aux mœurs reculées ! Nous avons encore bien du travail avant d'atteindre l'égalité.

Deux chercheurs[2] ont demandé à des adultes d'observer un petit film dans lequel un bébé de neuf mois était assis en

---

1. Hans-Peter Kohler, Jere R. Behrman et Axel Skytthe ont mené cette étude sur des jumeaux pour contrôler certaines variables liées à l'aptitude génétique au bonheur « A first child substantially increases well-being, and males enjoy an almost 75 percent larger happiness gain from a first-born son than from a first-born daughter », *Research Scientist,* Institute of Public Health and Danish Center for Demographic Research, SDU-Odense, Sdr. Boulevard 23A, Odense C, Denmark. *Population and Development Review* via Blackwell Synergy www.blackwell-synergy.com Volume 31 Issue 3 Page 407 – September 2005.

2. Condry et Condry, en 1976.

train de s'amuser avec différents jouets. À la moitié des participants, les chercheurs ont demandé : « Pouvez-vous évaluer les comportements de cette petite fille ? » À l'autre moitié : « Pouvez-vous évaluer les comportements de ce petit garçon ? » Évidemment, il s'agissait du même film. Les résultats furent stupéfiants. Ceux à qui on avait dit qu'il s'agissait d'un garçon le décrivirent comme plus actif et lui attribuèrent plus de plaisir, de colère et moins de peur que ceux qui croyaient évaluer une petite fille. Hors de notre conscience, nos stéréotypes sont à l'œuvre !

De même, nous sommes influencés par le milieu social. Les sujets ayant vu une fillette dans un milieu aisé la jugèrent plus brillante que lorsqu'elle était décrite comme issue d'un milieu défavorisé. Il s'agissait pourtant toujours de la même enfant !

Faites une expérience dans la rue. Mettez des vêtements roses à votre enfant, vous entendrez : « comme elle est douce, gracieuse, sensible », ou « quelle petite pipelette ». Déguisez-le en bleu, vous obtiendrez des commentaires totalement différents : « Il est téméraire votre bébé, il est actif, on voit que c'est un vrai petit garçon qui cherche à explorer le monde. »

Les schémas sont là ! Or, l'effet Pygmalion – ou prophétie autoréalisante – que nous avons déjà évoqué au début de cet ouvrage est maintenant bien établi. Robert A. Rosenthal a monté une expérience qui a fait date[1]. Il a fait passer des

---

1. Robert A. Rosenthal et Lenore Jacobson, *Pygmalion à l'école : l'attente du maître et le développement intellectuel des élèves* Casterman, 1996.

tests de quotient intellectuel aux élèves d'une classe. Puis en a confié les résultats aux enseignants. Un an plus tard, nouveau test. Les résultats furent éloquents, les enfants dotés d'un fort QI ont réalisé les progrès les plus impressionnants tant au plan de leurs résultats scolaires tout au long de l'année qu'aux résultats aux nouveaux tests. Normal, me direz-vous. Oui, mais les notes de QI avaient été distribuées au hasard ! Les résultats des élèves reflétaient donc les attentes des enseignants et non leurs prétendues capacités.

Les enfants – comme tout un chacun – ont tendance à se conformer à ce qu'on attend d'eux. Mesurant combien nos images d'eux peuvent influer sur leur devenir, nous ferions bien d'être attentifs à la manière dont nous les considérons ! Si nos filles sont plus douces que nos garçons, est-ce vraiment inscrit dans leurs gènes ? Et cela vaut pour nombre de comportements et de traits de caractère.

Quand nous jugeons notre enfant trop turbulent, nous pourrions nous interroger sur nous-mêmes : qui a commencé ? Ne l'aurais-je pas inconsciemment conditionné à le devenir en le considérant comme tel ? N'aurions-nous pas eu une attente inconsciente en dirigeant son comportement vers davantage de turbulence ?

18. IL ME RESSEMBLE TROP OU PAS ASSEZ

Comme il est douloureux de voir nos défauts repris par nos enfants ! Leur en voudrions-nous parfois de cette image qu'ils nous renvoient en miroir ?

Marc ne supporte pas que son jeune fils se montre si piètre joueur de foot. Il s'énerve : « Il ne bouge pas, et regardez comme il est chétif »… Il était lui-même tout maigre et mauvais en sport, mais il a voulu oublier cette époque. Il aurait tant aimé que son fils restaure son image !

Clémentine, huit ans, attribue systématiquement aux autres la responsabilité de ce qui lui arrive. Elle accuse dans un besoin désespéré de rester parfaite, irréprochable, merveilleuse… C'est un fonctionnement naturel et normal à certaines étapes du développement de l'enfant. La période de quatre ans, par exemple, est marquée par cette idéalisation de soi, cette illusion de toute-puissance et ce rejet des fautes sur autrui. Si le parent accueille cette phase de manière neutre, elle passera. S'il s'y montre particulièrement sensible, il peut se montrer plus réactif, peut-être punir ou culpabiliser l'enfant, ce qui aura tendance à fixer le comportement. C'est ainsi que nous pouvons faire advenir ce que nous ne voulons surtout pas !

La mère de Clémentine est exaspérée au-delà de ce qui serait raisonnable par l'attitude de sa fille. En y réfléchissant bien, elle reconnaît que c'est une tendance qu'elle a, elle aussi. Elle l'avait enfant, elle l'a encore aujourd'hui, surtout dans la relation à son mari.

Nous n'apprécions guère que notre progéniture mette ainsi l'accent sur nos défauts physiques ou de comportement. Sur ces plans, nous préférerions qu'elle ne nous ressemble pas. En revanche, nous sommes plus à l'aise quand il nous ressemble dans ce que nous aimons de nous. « Il cuisine comme moi/ Elle est sportive comme moi... » La similitude nous rapproche, nous aide à développer une plus grande complicité. Nous avons beau nier quand le frère ou la sœur, moins cuisinier ou sportif, se plaint de la différence de traitement, nous risquons effective-ment de prendre davantage de plaisir à passer du temps avec celui qui nous est le plus proche. À moins, bien sûr, d'être attentif à ce décalage et à travailler à le réduire.

Nous pouvons avoir l'illusion que nous aimons plus ou moins un enfant en raison de son comportement, de son caractère... Cela nous permettrait de lui en attribuer la res-ponsabilité, tant il est culpabilisant d'assumer moins aimer un de ses enfants. Mais outre que nous sommes pour une part responsables du caractère en question, en réalité, les res-sorts qui nous mènent à aimer plus ou moins un enfant sont profondément inconscients. Des études ont montré que le parent a tendance à préférer celui qui lui ressemble physi-quement. Et il n'est pas rare d'entendre :

« J'étais brune comme mon père, j'étais sa préférée ; ma mère du coup m'a détestée », dit Véronique.

« J'ai toujours été rejeté par mon père. Je ne comprenais pas pourquoi. Un jour, il m'a reproché d'être blond. Lui était très brun », raconte Samuel.

Préférer un enfant pour sa couleur de cheveux nous sem-ble bien superficiel. Hélas tant d'enfants en ont fait les frais.

C'est un phénomène réel, totalement inconscient la plupart du temps, mais plus répandu qu'on ne l'imagine.

Le chercheur Platek et ses collègues ont présenté à des hommes des photos de bébés fusionnées avec leurs propres visages. De manière significative, les sujets ont trouvé ces enfants plus attirants et s'étaient davantage inquiétés de leur bien-être que si le visage du bébé ne contenait aucune similarité avec eux. La ressemblance est un des rares moyens dont disposent les hommes pour s'assurer de leur paternité. Les chercheurs y voient donc une réaction biologique et conseillent d'éviter auprès des papas la plaisanterie : « T'es sûr que c'est ton fils ? Il ne te ressemble pas du tout ! »

Nos réactions aux ressemblances et dissemblances sont inconscientes. Nous pouvons par un peu d'introspection en prendre conscience, cela nous permettra d'une part de mieux comprendre les jalousies dans la fratrie et d'autre part d'y remédier. Un gain pour toute la famille !

19. AIMER N'EST PAS SI SIMPLE

La grande majorité des parents voient leur amour pour leur petit s'épanouir en eux dès les premiers instants. Ils témoignent des battements de leur cœur, de cette brûlure dans la poitrine, de cette émotion intense qui les a saisis dès le premier regard. Pour quelques-uns le chemin vers l'amour est plus lent.

Judith est venue me voir pour sortir d'une dépression. Son symptôme principal ? Elle se sent vide. Paradoxalement, on se sent vide quand on est trop plein, trop plein d'émotions indicibles. Nos émotions nous donnent le sentiment d'exister. Quand elles sont réprimées, on se sent vide de soi. Quand on a dû se blinder face à l'adversité, quand on a été peu aimé, négligé, maltraité, humilié, frappé ou tout simplement contraint à refouler, les tensions occasionnées peuvent devenir une véritable cuirasse corporelle. Le diaphragme, ce muscle souple qui sépare les poumons des viscères et accompagne le gonflement régulier des poumons sur l'inspir et l'expir, peut se tendre, voire se spasmer quand une émotion reste bloquée. Quand le diaphragme a perdu sa souplesse, le mouvement respiratoire est forcément limité. Les psychothérapies dites corporelles ou émotionnelles travaillent à augmenter l'apport d'air dans les poumons et donc d'oxygène dans les cellules. L'oxygène « réveille » les tissus, la mémoire des émotions refoulées est activée. Le processus physiologique de l'émotion peut se poursuivre jusqu'à son terme : la détente. Quand on a pu pleurer, hurler et être entendu dans ses blessures, on se sent plein, on se sent soi, on se sent réparé et intégré. Le diaphragme récupère sa souplesse, la respiration peut à nouveau être libre et profonde, l'oxygène arrive plus généreusement dans les tissus, et les sens intéroceptifs[1] affinés nous donnent de nouvelles informations. Il n'est pas rare que, suite à une libération émotionnelle, une personne dise expérimenter des sensations inconnues d'elle auparavant, notamment celles qui accompagnent l'émotion d'amour. Claire peut en témoigner :

« La psychothérapie m'a appris tant de choses. La plus importante ? Maintenant, j'aime mes enfants ! C'est terrible à dire, mais je ne savais pas ce que c'était qu'aimer. Maintenant, je le sais. Jusqu'à récemment, je n'ai pas aimé mes enfants ! » Très émue en évoquant cet amour tout neuf, Claire pleure : « Je suis si heureuse de ce que j'ai découvert. Mon mari ne comprend pas. Il me dit que j'ai aimé mes enfants, que j'étais tendre avec eux. C'est vrai, je les ai allaités, portés, embrassés. Il me dit que j'étais une très bonne mère. Oui, je faisais tout ce qu'il fallait faire pour être une bonne mère. Je leur donnais ce que je pouvais. J'étais attachée à eux, je n'aurais pas voulu qu'il leur arrive quoi que ce soit. Je croyais que c'était ça, les aimer. Mais grâce au travail émotionnel, après avoir pleuré toutes les larmes que je retenais et crié mes souffrances, non seulement je respire différemment, mais j'ai découvert ce que le verbe *aimer* veut

---

1. Les sens intéroceptifs sont les récepteurs qui nous permettent d'éprouver des sensations nous informant sur ce qui se passe à l'intérieur du corps. Les sensations viscérales, musculaires, la kinesthésie, la somesthésie, la douleur, l'équilibre, par exemple en font partie.

vraiment dire. J'ose l'affirmer, je n'aimais pas mes enfants. Je dis ça sans culpabilité, c'est juste une constatation. J'éprouvais de la tendresse, de l'attachement, je n'avais jamais ressenti l'amour que je leur porte maintenant. Je ne savais même pas qu'on pouvait ressentir cela. »

Il arrive que l'intensité d'un événement nous bouleverse tant que le diaphragme secoue ses tensions. Une rencontre passionnelle, un décès, une maladie grave voire la naissance d'un enfant sont susceptibles de débloquer le diaphragme. Le choc de l'émotion est tel que nous ne nous retenons plus. Nous nous laissons enfin pleurer et crier… Les émotions anciennes profitent alors de cette permission de s'exprimer. Derrière ces effusions, puisqu'il n'est plus empêché, l'amour peut s'épanouir. Le diaphragme enfin libéré nous permet de ressentir cette brûlure dans la poitrine qui irradie dans le reste du corps.

Qu'est-ce qu'aimer ? Le français est pauvre : nous utilisons le même mot pour aimer la confiture, son mari ou son enfant. Ce sont pourtant des amours bien différentes ! Claire aimait ses enfants plus que la confiture, elle éprouvait un sentiment d'amour vis-à-vis d'eux, c'est-à-dire un profond attachement. Pourtant, elle n'avait jamais connu l'émotion d'amour, cette sensation très particulière dans le sternum. L'amour naît dans l'intimité, c'est une émotion subtile, qui a besoin de sécurité pour s'épanouir. Une émotion est physiologique tandis qu'un sentiment est une élaboration affectivo-mentale. L'émotion d'amour nourrit le sentiment d'amour.

Aimer son enfant paraît naturel, normal, évident. Ce n'est pas toujours si simple. Tant de choses peuvent interférer. Quand ils n'éprouvent pas le pincement au cœur attendu face à leur nourrisson, les parents sont déstabilisés et se culpabilisent sans oser en parler. Pourtant si l'amour n'est pas au rendez-vous, d'une part ce n'est pas leur faute, d'autre part ce peut être facile à restaurer à condition que tout cela puisse être dit. Même lorsqu'ils en ont conscience, il est très difficile pour les parents d'oser avouer qu'ils n'aiment pas leur enfant. C'est socialement inacceptable, tabou, inconcevable, plus encore de la part d'une mère.

Alors que j'évoquais ce thème en conférence, une femme dans la salle s'est insurgée avec virulence contre mes propos : « Vous ne pouvez pas dire qu'une mère n'aime pas son enfant, elle ne l'aime peut-être pas bien, mais elle l'aime, elle l'aime à sa manière. »

Qu'une mère puisse ne pas aimer son enfant nous est tellement intolérable que nous en nions même la possibilité. Mais alors, que vivent les femmes dont c'est la réalité ? Où peuvent-elles s'exprimer ? Être entendues ?

Lors du cocktail qui a suivi la conférence, une femme s'est approchée de moi : « Je vous remercie pour ce que vous avez dit, je n'ai pas osé parler devant tout le monde, mais je voulais venir vous le dire. Je n'ai jamais aimé ma fille et elle a douze ans. Cette personne pendant la conférence avait beau dire qu'on aime à sa façon, je sais bien, moi, que je n'ai jamais pu aimer ma fille. J'en souffre tellement. Je n'ai même jamais osé en parler à ma psychothérapeute. Je la vois pourtant depuis près de huit ans. Vous êtes la première personne à qui je le confie. Merci d'avoir dit qu'une mère pouvait ne pas aimer son enfant. Vous m'avez permis de comprendre ce qui m'a empêchée d'aimer ma fille. Vous me redonnez espoir. Merci pour elle, merci pour moi. »

Dire qu'une mère n'aime pas son enfant sonne comme une accusation. Et pour ne pas culpabiliser la maman, on refuse d'entendre son vécu, on ne lui permet pas de parler ni même de penser vraiment à ce qui se passe en elle. Elle reste seule avec elle-même et avec la conviction d'être anormale. Est-ce qu'elle ne se sent pas bien plus coupable que si elle était écoutée, entendue, accompagnée jusqu'à ce qu'elle puisse éprouver cet amour ? L'amour peut être empêché depuis la conception. Il peut aussi naître à chaque instant. Combien d'enfants non désirés ont finalement été accueillis et vraiment aimés ? Beaucoup !

Nadine n'était pas prête à être mère. Quand elle a su qu'elle était enceinte, la chose était entendue : elle allait avorter. N'eût été ce médecin, elle l'aurait fait. Mais le Dr Alain a su la convaincre. « Vous vivez avec un mari que vous aimez, vous avez un métier... » Nadine n'a jamais regretté d'avoir gardé Apolline. Cette petite fille est un soleil dans sa vie. Elle l'aime tellement... Elle ne veut pas qu'on lui dise qu'elle avait voulu avorter. Elle craint de lui faire de la peine. Elle se culpabilise de ne pas avoir désiré sa fille. Si ce médecin providentiel n'avait pas été là...

C'est la vie ! Nadine a été bousculée par l'annonce de cette grossesse. Apolline est venue sans avoir été désirée. N'a-t-on pas le droit de le dire ? Le plus important n'est-il pas qu'elle ait été aimée quand elle est née et même dans le ventre dès que la décision de la garder a été prise ?

D'autres mamans n'aiment pas pendant bien plus longtemps. Il est certain que c'est douloureux pour l'enfant. Mais mieux vaut regarder la réalité en face pour pallier cela que de se cacher les yeux.

En ma présence, Solange a osé dire à sa fille de dix ans qu'elle ne l'aimait pas. Solange ne lui a bien sûr pas juste dit « je ne t'aime pas ». Voici ce qu'elle lui a confié : « Tu me dis souvent que je ne t'aime pas, que je t'aime moins que ton frère. Quand tu me le dis, ça me fait mal, alors je te réponds que ce n'est pas vrai. (Elle prend une grande respiration en regardant sa fille dans les yeux.) Mais tu as raison, je ne t'aime pas, je n'y arrive pas. J'ai commencé à comprendre pourquoi avec Isabelle et je vais te le dire : quand j'étais petite, ma mère ne m'aimait pas. Elle m'ignorait. Et quand elle se préoccupait de moi, c'était pour me donner des ordres, me punir ou me taper. Je me détestais. Je détestais la petite fille que j'étais qui n'était pas capable d'être aimée de sa maman. Quand tu es née, je me suis revue en toi. Quand je te vois, je me vois. Ton frère, c'est un garçon, ça ne me le fait pas. J'ai conscience que ce n'est pas juste à ton égard. Je voudrais tant t'aimer. Je me bats avec moi-même pour réussir à me guérir pour pouvoir t'aimer vraiment. Pour l'instant, je n'arrive pas encore à aimer la petite fille que j'étais. Ce n'est pas toi que je n'aime pas, c'est en fait l'enfance que j'ai eue. Toi, tu as le droit d'être aimée. Mais j'ai du mal. Quand tu me verras être injuste avec toi et ne pas te donner autant qu'à ton frère, je te demande de me le dire. Je ne te rembarrerai plus comme avant. Je veux apprendre à t'aimer. »

Mère et fille avaient les larmes aux yeux. Non pas des larmes de désespoir, mais des larmes de gratitude. Par ses mots, Solange avait brisé la glace qui les séparait. « Merci, maman, de me dire tout ça. C'est pas agréable. Mais ça fait du bien. »

Elles se sont regardées longuement dans les yeux, puis Solange a pu faire ce qu'elle n'arrivait pas à faire : prendre sa fille dans ses bras et l'étreindre. Sa sincérité a créé un moment d'intimité. L'émotion d'amour surgit quand on se confie de cœur à cœur. Tout ce que nous cachons, fût-ce « pour ne pas faire de peine », nous éloigne les uns des autres.

Tout n'était pas résolu. Solange n'a, par la suite, pas toujours réussi à ne pas rejeter sa fille. Il faut parfois du temps pour changer. Mais leur relation était transformée. Solange avait désormais un point d'ancrage pour retrouver l'amour pour sa fille dans les moments difficiles. Adeline avait expérimenté l'émotion d'amour de sa maman et, quand cette dernière la rejetait, elle pouvait percevoir au-delà du comportement apparent cet instant d'intimité qui la nourrissait.

Il est à noter que la présence d'un tiers pour ce type de rencontre est très importante. Le tiers garantit le non-jugement, permet la parole et aide le destinataire à l'entendre. Il fournit un espace dans lequel chacun se sent en sécurité.

Aimer est tout simple. Dès que les conditions de sécurité, d'authenticité et d'intimité sont réunies, l'émotion d'amour s'épanouit.

Mais quand les conditions ne sont pas réunies, vraiment, aimer n'est pas si simple ! Cessons d'en faire une évidence. Si tant d'enfants éprouvent ce sentiment de ne pas être aimé, ou moins que frères ou sœurs, n'y a-t-il pas matière à réflexion ? Cessons de confondre sentiment d'amour, émotion d'amour et attachement. Nous pouvons être très profondément attachés à nos enfants, éprouver un fort sentiment d'amour envers eux et pour autant ne pas connaître l'émotion d'amour. Tout comme l'orgasme[1], on peut vivre sans, mais c'est dommage. Et nos enfants en pâtissent. Car cette émotion d'amour éprouvée à leur contact les remplit eux aussi, et leur confère une sécurité intérieure difficile à construire sans.

Apprendre à aimer, ou plutôt recouvrer ses capacités d'amour, c'est possible, à tous les âges.

---

1. Inconnu de nombreuses femmes mais aussi d'hommes pour les mêmes raisons de répression émotionnelle, de contrôle et de tensions corporelles.

Deuxième partie

Les causes de nos débordements

Quand nous sortons de nos gonds, hurlons, insultons nos enfants..., ces derniers n'y sont pas forcément pour quelque chose. En fait, nous devons nous l'avouer, le plus souvent, ils n'y sont pour rien. Au mieux, leurs comportements font office de déclencheurs, mais les causes de nos attitudes sont ailleurs. Si nous sommes honnêtes avec nous-mêmes, analysant nos réactions, nous mesurons combien elles peuvent être disproportionnées, clairement inutiles pour la construction de nos enfants, voire nocives.

Certains jours, tout va bien, nous regardons avec amour et tendresse nos petits chéris. D'autres jours, la maladresse de l'un fait drame national, la jérémiade de l'autre déclenche une exaspération sans borne. Même le bébé n'a plus le droit de pleurer « sans raison ». Bien sûr, nous rationalisons et argumentons du bien-fondé de nos cris, mais au fond, la réalité est que nous avons juste libéré une tension qui nous appartenait. Nous le savons plus ou moins, sans vouloir le regarder vraiment, histoire d'éviter le sentiment de culpabilité.

Nombre de nos réactions font mal à nos enfants et/ou abîment la relation. Pour ne pas nous sentir coupables, nous avons tendance à justifier nos attitudes, à les nommer éducatives ou à accuser l'enfant de les avoir « cherchées ». Cela ne nous aide pas à changer et risque d'enfermer l'enfant dans ses conduites inappropriées.

Pour autant, inutile de culpabiliser. D'une part, il y a des raisons à nos comportements et, d'autre part, nous l'avons vu, la culpabilité freine et empêche le changement. Mieux vaut oser regarder en face nos abus. Oser les considérer comme tels sans les minimiser. C'est la première étape pour changer. « Responsable, mais pas coupable », la formule a été galvaudée, elle est pourtant ici tellement juste. Assumer sa responsabilité, c'est prendre la mesure de sa part dans l'action. Le sentiment de culpabilité exagéré « c'est ma faute, c'est ma grande faute » évite la responsabilité. C'est une manière de fuir sa responsabilité. Chacun peut le vérifier : exagérer notre part attire le rapide pardon de la personne heurtée. « Mais non, maman, ce n'est pas grave, arrête… », disent-ils. Et nous n'avons plus ni à entendre leur colère, ni à prendre la mesure de nos actes, ni à offrir réparation. Mais le pardon ainsi concédé ne les guérit pas. La blessure reste intacte, en eux comme en nous, même si, eux comme nous, consacrons une partie de notre énergie à en refouler le souvenir.

Pour reprendre la maîtrise de nos comportements, nous devons tout d'abord identifier ce qui les motive. Qu'est-ce qui déclenche réellement l'intensité de nos fureurs et parfois ces impulsions de violence que nous regrettons ensuite ? Que cachent ces mots si durs que nous n'oserions dire à personne d'autre qu'à nos enfants ?

L'introspection peut être douloureuse parfois, mais elle nous permettra de ne pas laisser l'éducation de nos enfants au pouvoir de notre inconscient. Car c'est lui qui tient les rênes dans la plupart des conflits qui nous opposent à nos petits et plus grands, gâche l'harmonie de nos relations familiales, et même parfois empêche l'intimité. Il nous dicte des paroles que nous aimerions n'avoir jamais prononcées, des actes dont nous ne sommes pas fiers, même si nous les justifions.

Nos enfants en souffrent. Notre couple en souffre. Nous en souffrons. Et même si nous nous voilons la face quelque temps, tôt ou tard, nous le payons de sentiments de culpabilité.

Osons regarder ce qui se passe en nous dans les moments de dérapage. En identifiant les nuages et les vents, nous ne laisserons plus les orages se déclencher inopinément et faire la pluie et le beau temps dans la famille.

Il y a toutes sortes de causes à nos débordements. Nous avons déjà entraperçu la dynamique de la projection sur plus faible que soi d'émotions que nous n'osons exprimer à la personne concernée, les reflets, pour ne pas dire relents, de notre histoire personnelle. Il existe aussi des causes sociales et des causes physiques, de l'épuisement à la maladie en passant par les hormones.

1. L'ÉPUISEMENT MATERNEL

Trois rangs devant moi dans le TGV, une maman s'énerve de plus en plus contre ses deux enfants. Elle hausse le ton et menace :

– Tu vas en prendre une !

Les autres passagers se regardent, gênés… Personne n'intervient. Je ne sais pas ce que font les enfants, mais l'énervement de la maman monte d'un cran :

– Tu vas voir ce que tu vas recevoir. Oh, là, tu y as droit !

Je décide de sortir de ma lecture, de toute façon compromise. Je m'approche du trio :

– Vous êtes exaspérée… Vous avez besoin d'aide ?

– Non, non, merci.

– Si… J'insiste doucement.

– Oui, je suis épuisée. Merci.

Je me suis installée à côté d'elle pour jouer un peu avec ses enfants. Ma simple présence les avait déjà calmés. L'intervention d'un tiers tempère toujours les choses, pour autant bien sûr qu'on ne jette pas d'huile sur le feu !

Quand on est épuisée, on ne pense pas à tout. On pare au plus pressé. Cette maman avait réussi à mettre enfants et bagages dans le train, elle avait pris à boire et à manger, mais avait oublié d'apporter quelque chose pour les occuper. Elle était exténuée et n'avait plus le ressort nécessaire pour les distraire.

Violaine Guéritault[1] raconte : « Je suis en train de remplir mon lave-linge, j'entends en bruit de fond mes deux enfants qui se chamaillent pour la énième fois de la matinée et soudain un énorme "badaboum", suivi des hurlements de ma fille. Et là je n'ai pas bougé, j'ai pensé quelque chose comme : "Elle ne tombera pas plus bas" et encore "Si elle crie, c'est qu'elle est toujours vivante". Je finis alors de remplir ma machine comme un automate. Je ne ressens plus rien. Je ne me sens plus mère. »

C'est le déclic. Violaine Guéritault est en train de préparer son doctorat sur le burn-out professionnel. Elle met immédiatement en relation ce qu'elle vient de vivre avec son travail. Dans son métier de mère, elle traverse une des phases du burn-out. L'épuisement professionnel n'est pas réservé au monde de l'entreprise, il est aussi présent à la maison !

Chaque parent est susceptible d'en être victime. Toutes les mamans, même celles qui ont l'air d'assurer, vivent un quotidien hautement stressant. Une multiplication de tâches répétitives, fort peu de reconnaissance, des contraintes horaires démentes, un tas de situations sur lesquelles elles n'exercent aucun contrôle, l'impossibilité de se concentrer sur une tâche sans être interrompue dix fois et cela 24 h/24 et 365 jours par an pour une durée indéterminée. Car il est impossible de démissionner du métier de mère !

---

1. *L'Épuisement maternel et comment le surmonter,* Violaine Guéritault, Odile Jacob, 2004. À lire absolument.

C'est si merveilleux un bébé. Qu'est-ce qui épuise tant les mamans ? Justement cette impossibilité de se plaindre puisque sa situation est si « merveilleuse ».

Violaine Guéritault établit la liste des agents stresseurs de la vie de mère…

– Le travail de maman est un éternel recommencement de chaque tâche. Elle lave, nettoie. Tout est sali de nouveau quelques minutes plus tard, privant la maman de ce sentiment d'accomplissement qui donne sens au travail et énergie.

– La maman vit de nombreuses situations sur lesquelles elle n'a aucun contrôle. Elle voudrait pouvoir protéger son enfant de tout, mais se retrouve souvent impuissante. Accidents, hospitalisations, mais aussi au quotidien, devant les coliques du nourrisson, les dents qui poussent ou une piqûre de guêpe.

– Ce qui caractérise les tout-petits, c'est l'imprévisibilité. La mère planifie sa journée, qui va à coup sûr être chamboulée. Vous partez voir une amie, au moment de mettre le bébé dans la voiture, il faut changer la couche… Même si vous êtes très organisée, votre nourrisson saura déstabiliser votre emploi du temps. Quand arrive le soir, une maman éprouve souvent ce sentiment très pénible : « Je n'ai rien fait de toute ma journée. »

– Tout travail mérite récompense… Il semblerait que cela ne s'applique pas au travail de mère. Elle est idéalisée et honorée comme il se doit le jour de la fête qui lui est consacrée, mais au quotidien elle reçoit fort peu de reconnaissance. Tout ce qu'elle fait est considéré comme un dû.

– À cela s'ajoute qu'elle n'a pas le droit à l'erreur. Elle met elle-même la barre très haut, et se désespère volontiers de l'écart qu'elle constate entre le modèle de ce qu'elle voudrait être et ce qu'elle vit tous les jours.

– Qui s'occupe de soutenir les mamans ? Psychologiquement, elles sont seules la plupart du temps face au tout-petit. Elles peuvent parfois se rendre dans l'une ou l'autre structure qui accueille mamans et bébés pour quelques heures, mais il y a peu de lieux où elles peuvent trouver ne serait-ce qu'une écoute. La plupart des gens veulent entendre qu'elle est heureuse et comblée avec de si mignons petits chéris. Ils ne veulent pas entendre qu'elle a parfois envie de les étrangler. Le mari ? Quand il rentre du travail, soit la mère n'ose pas lui demander quoi que ce soit de crainte qu'il ne ressorte derechef, soit elle déverse sur lui une avalanche de plaintes qu'il n'a pas appris à accueillir. Il lui rétorque qu'elle n'a qu'à retravailler, ou que Martine ou pire, sa mère, s'en sort bien, elle... Bref, bien peu de soutien de ce côté-là.

En général, une maman qui reste à la maison porte la totalité des tâches ménagères. Au lieu de fournir une aide matérielle qui limiterait sa fatigue, il arrive même au mari d'attendre de sa femme qu'elle s'occupe de lui ! Une femme de ménage ? Pas question, se disent plus ou moins consciemment les femmes : « Ma mère y arrivait, pourquoi pas moi ! » De plus, nombre de maris ne voient pas la nécessité d'une telle dépense « puisque tu n'as que ça à faire de toute la journée ».

Le déséquilibre de la répartition des tâches peut-il affecter l'amour d'une mère pour son enfant ? Oui !

Je suis triviale ? J'exagère ? Vous pensez que l'amour d'une maman ne peut dépendre de la vaisselle ou de l'aspirateur ? Eh bien, si !

Trop de linge à laver, trop de sols à récurer, trop de cuisine à cuisiner et de vaisselle à laver, tout cela peut altérer la capacité d'amour.

En fait, ce n'est pas tant la tâche elle-même qui éloigne l'amour, mais le sentiment d'injustice. Une injustice rarement reconnue comme telle. Une injustice qui se trouve résumée dans cette constatation quotidienne : s'*il* change une couche, on le trouve merveilleux. Si *elle* change une couche, personne ne l'admire. C'est « normal ». Un homme, père à la maison, me confia un jour : « Je constate tous les jours combien c'est injuste pour ma femme. J'en fais dix grammes, je suis félicité, adulé. Elle en fait dix tonnes, personne ne le voit. » Une conscience rare tant chez les hommes que chez les femmes. Et même quand la conscience est là, l'injustice perdure tant elle est inscrite socialement. D'autres maris moins sensibles ne voient même pas le problème et peuvent dévaloriser, humilier, culpabiliser leur femme lorsqu'elle se plaint ou ne réussit pas à atteindre ses objectifs.

La femme au foyer doit réprimer beaucoup de colère : celle liée à la frustration, celle face à l'injustice, et parfois s'y ajoute celle de la blessure infligée par un mari inconscient sinon indélicat.

Les femmes vivant seules n'ont pas plus de difficultés que les autres. C'est la rancœur indicible qui empêche l'amour de s'épanouir, pas l'absence de l'homme.

Dans notre société, on attend des femmes qu'elles sachent y faire, comme si chez elles c'était inné. Elles sont réputées être des professionnelles tandis que les quelques mâles qui s'y risquent sont considérés comme des amateurs. La réalité est qu'elles ne savent rien de plus qu'un homme. Certes, elles sécrètent les hormones de l'attachement et ont le biberon intégré, mais rien n'est inscrit dans leurs gènes sur la meilleure marque de couches, les vaccins ou les relations avec les professeurs. Sans compter qu'il faut s'ajuster sans cesse. Rien n'est jamais gagné avec un enfant, il grandit, change. Et aucun enfant ne ressemble à un autre.

Au bout d'un certain temps, la maman n'en peut plus.

La première phase du burn-out est très bien décrite par Violaine Guéritault[1] : le réservoir d'énergie est vide. Elle est dans un épuisement émotionnel et physique consécutif à cette nécessité d'adaptation permanente.

Si la mère ne rencontre pas d'aide, de soutien, si elle ne peut évacuer son trop-plein de stress, elle risque d'atteindre assez vite le second stade, celui de la dépersonnalisation, de la distanciation.

La maman sait qu'elle doit continuer de fonctionner mais elle ne sait plus comment ! Sa seule issue est inconsciemment de se couper émotionnellement de la source de stress, afin de minimiser les fuites d'énergie et de continuer de remplir, comme un automate, les tâches qu'elle ne peut fuir. La mère épuisée s'occupe de son enfant, mais sans affect. Elle n'y est plus. Nous avons toutes connu ces moments de total épuisement. Nous faisons ce qu'il y a à faire, préparer le repas, faire couler le bain, débarrasser la table, coucher les enfants, mais tout se passe en mode automatique. Quand l'épuisement s'installe, ce mode automatique devient permanent. La mère s'éloigne de plus en plus de ses enfants. Elle n'est plus présente affectivement.

La maman non accompagnée s'enfonce dans la dépression. Elle est de moins en moins efficace, tout lui demande effort immense, elle doute de ses capacités. Certaines tâches qu'elle accomplissait avant : téléphoner, remplir des dossiers..., lui paraissent insurmontables. Peu à peu, elle glisse dans la troisième et dernière phase du burn-out. Hurlements, coups, punitions, la mère fait tout ce qu'elle ne voulait pas faire à ses enfants, et bien évidemment les choses empirent et c'est le cer-

---

1. J'invite les lecteurs à se reporter à son excellent livre pour plus de détails.

cle vicieux. La mère qu'elle se voit être, se croit être devenue, est tellement loin de celle qu'elle rêvait d'être qu'elle peut aller jusqu'à préférer balayer le projet dans son entier. Perte de motivation et chute de l'estime de soi, elle renie tout ce qu'elle a fait, tous ses accomplissements, passés, présents et futurs.

Si toutes les mamans ne sombrent pas dans la dépression, une immense majorité – pour ne pas dire toutes – passe par une phase fugace, récurrente ou prolongée d'épuisement.

Le burn-out n'est pas dû à une quelconque fragilité de la femme. Il n'est pas dû au fait qu'elle aurait un passé plus douloureux qu'une autre, mais résulte de l'interaction avec son entourage. Inutile de lui donner des médicaments : ce n'est pas elle qui est à soigner, mais son environnement qui est à repenser. Ce n'est pas non plus une pathologie réservée aux femmes. Une pédiatre suisse a démontré que les pères vivent exactement les mêmes états quand ce sont eux qui restent à la maison pour s'occuper de leur bébé.

Dans ces conditions difficiles, on comprend que parfois la coupe soit pleine et que les enfants trinquent. Une maman épuisée, atteinte de burn-out, se détache de son enfant. Elle se maîtrise de moins en moins. Elle se vit comme prisonnière, exploitée par l'enfant. Elle peut se révolter contre les exigences de ce dernier, le considérer comme un tyran… et le haïr pour cela… Parfois avec une telle intensité que cela peut aller jusqu'à effacer tout sentiment maternel en elle. « Il me bouffe, disait Camille. Je ne le supporte plus. C'est terrible à dire, mais je ne ressens rien pour mon enfant. Je m'en occupe parfois comme une automate. Il m'exaspère très vite. S'il ne fait pas dans la seconde ce que je lui demande, je deviens folle. »

Camille est-elle une mauvaise mère ? « Elle n'est pas maternelle », juge sa belle-mère. Sur mes conseils, Camille a repris le travail… et a peu à peu retrouvé de l'affection pour son enfant ! Maintenant, elle joue avec plaisir avec lui. Elle était simplement en phase extrême de burn-out !

Émotions réprimées, dévalorisation de soi, éloignement émotionnel, distance affective, impuissance, frustration... Le cocktail est explosif ! Quand une maman craque et maltraite son enfant, c'est toute la société qui doit en porter la responsabilité, pas seulement elle.

Pour rire un peu...

Un soir, un homme rentre du travail. Ses enfants, encore en pyjama, jouent dans la boue du jardin. Sur le gazon, tout autour de la maison, des cartons vides de repas congelés et des boîtes de jus. Il pénètre dans la maison et c'est encore pire. La vaisselle sale est éparpillée dans toute la cuisine, le repas du chien est renversé sur le sol, une vitre est brisée et il y a du verre partout.

Dans le séjour, il trouve des jouets, des vêtements, une tache sur le tapis et une lampe renversée. L'homme a très peur qu'un malheur soit arrivé à sa femme. Il se précipite au second étage et là, stupéfait, la trouve encore en pyjama assise dans le lit en train de lire tranquillement. Elle se retourne en souriant et lui demande :

– Comment était ta journée ?

– Que... que s'est-il passé ici aujourd'hui ?

Souriante...

– Tu sais, chaque jour en rentrant, tu me demandes ce que j'ai fait durant la journée et quand je réponds que je me suis occupée de la maison et des enfants, tu me dis : « C'est tout ? » Eh bien, aujourd'hui, je n'ai rien fait !

2. Le père est-il à son poste ?

Lucie est au bout du rouleau et n'arrive plus à s'occuper de son fils d'un an. Un rapide survol de son quotidien nous permet de diagnostiquer un burn-out. Frédéric, son mari, s'implique pourtant beaucoup dans l'éducation de leur petit garçon. Elle me confirme qu'il sait même mieux qu'elle ce dont leur fils a besoin et comment il faut faire avec lui. Son mari la conseille, mais, décidément, elle n'y arrive pas. Lucie se sent vraiment nulle.

Quelque chose fait tilt en moi… Son mari lui donne des conseils ? Un conseil est forcément dévalorisant puisqu'il sous-entend que l'autre ne sait pas y faire. J'entends là le déséquilibre du couple. Un entretien avec le mari m'a permis de mieux comprendre leur dynamique relationnelle. Il jugeait qu'elle s'occupait trop d'Alexandre : elle allait trop vite le prendre quand il pleurait, elle était trop coulante, trop maternante avec lui. Lui prônait une éducation plus stricte : « Il faut poser des limites, sinon tu vas t'épuiser ! », lui disait-il. Elle se sentait pleine de gratitude à son égard : il se montrait si attentif ! Il ne voulait pas qu'elle se fatigue… Mais, parallèlement, elle se sentait de plus en plus mal. Plus elle suivait ses conseils, pourtant destinés à la soulager, plus elle était épuisée et malheureuse. Et elle avait de plus en plus de mal à supporter les demandes de son fils. Frédéric conseillait : « Laisse-le donc pleurer, ça lui passera, fais ceci, fais cela… ». Chaque conseil la dévalorisait. Lucie *sentait*, mais Frédéric *savait*. Or Lucie avait appris que savoir était supérieur à sentir. Dans ce contexte les reproches et conseils de son mari, rebondissant sur les « Tu es nulle » de son enfance, avaient beaucoup de pouvoir. Car là était sa part, une soumission qui s'ajoutait à la naturelle fragilité de cette période de maternité due à la fatigue, le bouleversement hormonal, le trauma de l'accouchement, la perte des repères habituels. Sans compter qu'elle ne travaillait plus ! Ses journées n'étaient plus rythmées par des horaires réguliers et, surtout, il lui manquait les sentiments de compétence et d'efficacité, si difficiles à éprouver à la maison avec un bébé. La dépression n'était pas loin.

J'interrogeais Frédéric sur sa propre histoire. À peine était-il né, sa mère s'est retrouvée enceinte de nouveau. Il n'a eu que deux mois de maman toute à lui, et encore, une maman qui travaillait. Pas de congé maternité dans le petit commerce ! Il dormait dans l'arrière-salle du magasin, sa mère venait l'allaiter quand il n'y avait pas trop de clients. Le temps et l'attention que sa femme portait aux besoins de leur fils lui étaient intolérables. Voir une maman aussi attentionnée évoquait ce qu'il n'avait pas eu, soulignait que lui aussi aurait pu, aurait dû recevoir cette tendresse. Prendre conscience de cette injustice, c'eût été trop de souffrance ! Plutôt que de considérer sa douleur de petit garçon abandonné par sa maman, il jugeait sa femme : elle était mauvaise mère puisque tout à la fois elle rejetait son fils et s'en occupait « trop ». Il la culpabilisait et elle souffrait. Faute de pouvoir exprimer à son mari sa colère et son rejet de ce qu'il lui imposait, Lucie projetait colère et rejet sur son fils. Frédéric était en apparence celui qui n'avait pas de problème, celui qui savait, celui qui faisait tout pour sa

famille et devait supporter une femme dépressive. En réalité, il portait une grande responsabilité dans la dynamique
familiale. Dans un couple, dans une famille, la personne
qui porte le symptôme n'est pas toujours celle qui va le
moins bien. Elle n'est que le fusible, l'élément le plus sensible, qui disjoncte pour protéger les autres. La famille est
un système. L'arrivée d'un enfant bouleverse la donne. Un
réaménagement affectif s'impose. Il y a les couples où cela
se passe bien, d'autres au sein desquels les blessures non
guéries du passé vont s'exprimer.

Les deux parents qui étaient tournés l'un vers l'autre
ont à s'orienter ensemble vers l'enfant. La femme devient
maman. Elle met pendant un temps ses propres besoins
de côté pour accueillir son bébé. C'est facile quand on a
reçu assez. Moins facile quand on a manqué. L'homme
devient papa. Il donne à son bébé mais aussi il entoure et
câline sa femme, lui donne les ressources dont elle a
besoin pour pouvoir allaiter. C'est facile quand on a reçu
assez. Moins facile quand on a manqué. Certains hommes
régressent en voyant leur femme se muer en mère.
D'autres fuient la situation de crainte d'une trop grande
fusion, d'autres sont terrifiés par les attentes de leur nourrisson et incommodés par celles de leur femme. Leur propre papa n'a pas été là, ils évitent l'intimité en adoptant
un nouveau rôle : « Je suis le père, je suis là pour séparer
la mère de l'enfant, pour rapporter l'argent à la maison,
protéger la famille. »

Les attitudes de la mère – comme de chacun des mem-
bres de la famille – répondent à une dynamique familiale
complexe. Il est fréquent d'entendre un mari reprocher à sa
femme de trop donner aux enfants… Pourtant, une maman
qui donne trop à ses enfants, c'est souvent qu'elle manque… de lui !

Quand l'homme apporte à sa femme de la tendresse, du contact physique, du respect pour ses émotions et de l'admiration, quand il assume tant sa place de mari que de père, il crée des conditions favorables pour que la mère puisse établir un rapport plus juste avec son enfant[1].

---

1. Et inversement, bien sûr. Quand le père garde l'enfant à la maison et la mère travaille. Elle a à lui fournir cette tendresse, ce soutien tant affectif que logistique, ce ressourcement dont il a besoin.

3. CARENCES INAVOUABLES

Parfois on ne sait pas trop pourquoi on va mal. Tout le monde nous le dit : nous avons « tout pour être heureux ». Alors, puisque nous n'avons pas le droit de nous plaindre, nous ne nous écoutons pas... Nous faisons taire la petite voix qui dit son insatisfaction... Mais le manque devient carence, et un jour ou l'autre, inconsciemment, nous allons projeter nos frustrations sur l'enfant.

Edwige a quitté un travail très valorisant et qui la passionnait. Elle a fait le choix de s'occuper de ses enfants, un peu poussée par la famille et son mari, il est vrai, mais un choix tout de même. Pourtant, même si elle n'ose pas se l'avouer, son métier lui manque et ses enfants sont loin de lui fournir toute la stimulation intellectuelle, la satisfaction personnelle et la reconnaissance sociale qu'elle obtenait auparavant. Même la tension lui manque. Rendre un dossier à temps, être la meilleure, gagner un marché... Ce stress que son entourage dénonçait comme trop épuisant pour une jeune maman, elle l'aimait. Dur de s'avouer que les enfants ne remplissent pas votre vie comme vous vous y attendiez... Elle adore ses enfants. Mais elle leur en veut de cette décision qu'elle n'ose pas remettre en cause. Elle sait bien qu'ils n'y sont pour rien. Ils n'ont rien décidé, certes, mais sont tout de même la cause de tout... Énervée pour un rien, elle s'impatiente facilement, et se surprend à se montrer méchante. Bien sûr, elle ne s'aime pas dans cette image de méchante maman, ce qui n'arrange pas les choses.

Toute tension, tout besoin frustré engendrent des émotions susceptibles d'être libérées sur nos enfants. Des problèmes au travail, une insatisfaction dans le couple, un manque d'épanouissement personnel, une absence de but ? Tout cela peut concourir à altérer nos relations à nos petits.

Il y a des solutions. Mais pour les trouver, il nous faut d'abord oser regarder en face ce que nous vivons. Et puis nous ne sommes pas qu'esprit. Nous avons un corps, des besoins de nourriture, de sommeil, de soleil... Quand ceux-ci ne sont pas satisfaits, ils drainent une part de notre énergie. Notre seuil de tolérance au bruit, au désordre, à la contradiction, s'abaisse considérablement.

4. LES HORMONES

Nous ne pouvons non plus nier l'influence des hormones. Chaque mois, nous, les femmes, traversons une tempête hormonale qui parfois déborde sur l'entourage. Le mari et les enfants sont les premières victimes de notre ire. La plupart des femmes, à un moment donné de leur vie et souvent après leur premier accouchement, subissent le syndrome prémenstruel.

Un syndrome est un ensemble de symptômes. La tension, l'énervement, la négativité, la tendance à la critique et à la dévalorisation de l'autre sont parmi ces symptômes. Aux prises avec un afflux important d'œstrogènes dans le sang, pas facile de conserver son calme !

Le savoir est utile pour repérer cette période et ne pas se laisser gagner par cette fureur dictée par les hormones. Dans ces moments-là, nos capacités de jugement objectif sont suspendues.

Oui, bien sûr, nos enfants « méritent » certainement nos remontrances. Mais comment se fait-il que nous criions davantage justement pendant cette période du cycle ?

5. Quand une épreuve absorbe notre énergie

La vie n'est pas facile. Elle ne se déroule pas toujours tranquillement. Maladie, chômage, deuil d'une personne proche surviennent sans crier gare. Quand on traverse une épreuve, on n'est fatalement pas le même que lorsque le quotidien est calme. Nous ne choisissons pas toujours ce qui nous arrive. Émotions, tensions, fatigue altèrent l'humeur, sapent le moral et l'énergie, retentissent sur nos relations avec nos enfants.

Dorothée a un cancer, elle est très centrée sur elle-même. Elle éprouve le besoin de se retrouver, de ne s'occuper que d'elle et de sa guérison. Comment conserver toute sa disponibilité et sa sérénité envers ses enfants quand on est malade ? Elle ne supporte plus le bruit que fait son fils. Depuis le début de sa maladie, elle crie beaucoup. Elle s'en veut. Elle sait bien que cela ne sécurise pas son petit Timothée de cinq ans qui est très angoissé par la maladie de sa maman. Elle sait qu'il accepte tout et se soumet, et elle n'aime pas cela. Elle craint aussi qu'il ne se sente coupable de faire mal à sa maman. Elle sait combien un enfant de cet âge a encore une pensée égocentrique, qu'il se vit comme le centre du monde, ramène tout à lui et donc peut se percevoir comme responsable de ce qui arrive à sa mère, « si maman est malade, c'est ma faute ». Elle voudrait bien ne pas aggraver les choses, rester sereine et parler doucement à son fils. Mais sa réflexion ne fait pas le poids. Elle est submergée par ses tensions... Elle crie, terrorise et culpabilise Timothée. Elle n'arrive pas à faire autrement. Elle s'en veut, et plus elle s'en veut, plus elle crie. Seule l'intervention d'un tiers peut l'aider. Nous ne sommes ni supermen ni superwomen. Quand une des dimensions de notre vie pompe une grande part de notre énergie, nous en avons moins pour nos enfants.

Que ce soient des difficultés financières, une menace de chômage, un problème de harcèlement au travail, la maladie ou le décès d'un proche ou que nous-même soyons touchés par une maladie, l'angoisse pèse et nous empêche d'être aussi disponibles que nous l'aimerions. En réalité, ce n'est pas tant le problème lui-même qui draine notre énergie, que l'effort consacré à réprimer nos émotions. Bien sûr le problème nous préoccupe, mais c'est l'angoisse qui nous plombe. *Angoisse* est le mot que nous utilisons pour nommer cette sensation oppressante au niveau du plexus. Ce n'est pas une émotion, mais un mélange d'émotions, un sentiment parasite lié à la répression de nos affects de peur, colère, tristesse... Elle est associée à des pensées noires, à des croyances négatives : « Je ne vais pas y arriver, je suis nul, je ne vaux rien... »

L'angoisse est la manifestation du chaos émotionnel dans lequel nous sommes plongés.

Pour ne pas faire peur aux enfants, pour les protéger, mais aussi pour ne pas voir en face notre réalité, nous préférons souvent taire ces angoisses qui nous oppressent. Nous les conservons bien au chaud dans la poitrine. Cherchons à les dissimuler aux yeux des autres, en priorité à ceux de nos enfants.

Pourtant, parler du problème et de ce qu'il suscite comme peurs en nous permet de sortir de ce chaos et de trier nos affects. Si cela ne résout pas le problème, cela aide à faire le clair en soi et donc à avoir davantage de ressources pour le résoudre.

Bien sûr, ce n'est pas le rôle de nos enfants que de nous aider à opérer ce tri. Nous allons nous confier à d'autres adultes, conjoint, parents, amis, psychothérapeute… Mais rien ne justifie que nous leur cachions nos affects. Nos enfants ont le droit de savoir ce qui nous préoccupe ou, si nous ne le savons pas nous-mêmes, au moins que quelque chose nous angoisse. « En ce moment, je me sens angoissé, ça n'a rien à voir avec toi. »

Autrement, ils imaginent. Cela les mène à être angoissés eux aussi, sans pouvoir identifier clairement l'origine de cette angoisse. Ils peuvent développer des symptômes : chute des résultats scolaires, multiplication de bêtises, tension, problèmes de sommeil, agressivité, dépression… Ces symptômes sont tout à la fois des conséquences de l'angoisse sous-jacente et comme une tentative inconsciente de distraire le parent de son souci en drainant l'attention vers eux, ainsi qu'un moyen de tenter de faire sortir la colère qu'ils perçoivent confusément à l'intérieur de leur parent. Tout cela est inconscient, et parfois pas. Il n'est pas rare qu'en thérapie l'enfant dise ouvertement comme Quentin : « Papa me fait peur, il a une boule de colère dans lui. Je ne peux pas m'empêcher de faire des bêtises. Alors il est en colère contre moi, ça sort. » Ou Marylou : « C'est électrique à la maison, de temps en temps, je pète les plombs, je cherche à évacuer la tension. »

Lorsque nous ne parlons pas, ils cherchent du sens, et construisent dans leur tête des fantasmes souvent pires que la réalité. Ils se mettent inconsciemment à notre service. Voici quelques phrases entendues en consultation…

« Ma mère ne m'a rien dit. Elle n'a même pas pleuré devant moi. Mais quand je l'ai vue comme ça, je me suis dit que je ne lui causerais plus jamais de soucis. »

« Je l'ai vue si triste, je me suis dit que je n'allais pas en rajouter, je n'ai plus jamais pleuré de ma vie. »

« Mon père faisait semblant de rien, mais moi je le voyais tellement malheureux. Je faisais tout le temps attention à lui, à ce qu'il se sente bien. »

« Pour distraire ma mère, je faisais le clown. Elle disait que j'étais son soleil, alors je brillais de toutes mes forces pour qu'elle ne meure pas, j'avais tellement peur qu'elle se suicide. »

Paradoxalement, c'est souvent dans le but de protéger nos enfants que nous ne leur parlons guère, voire pas du tout, de ce qui nous préoccupe…

Mais se taire ne les protège en rien. Pleurer ensemble, partager la colère, est aussi important que de partager les joies. Cela permet de sentir le lien, de se sentir unis. Ça aide le parent à ne pas avoir peur des réactions de son enfant, à avoir moins peur pour lui, et l'enfant sait ce qui se passe et donc possède des clés pour comprendre son parent. Attention, quand je dis « parler et partager », cela ne signifie aucunement se confier à eux, se libérer sur eux d'un poids, attendre d'eux un réconfort ou une quelconque prise en charge. N'inversons pas les rôles : ils ne sont pas nos protecteurs, ils ne sont pas nos parents, ils sont nos enfants. Ne nous réfugions pas auprès d'eux pour nous faire consoler. Il s'agit juste d'informer, de ne pas taire, ne pas cacher, ne pas lier à l'intérieur de nous nos émotions. Les émotions que nous réprimons nous prennent énormément d'énergie. Et insensiblement, lorsque nous sommes occupés intérieurement à cacher des émotions à nos enfants, nous nous éloignons d'eux, d'une part parce qu'il y a moins d'espace en nous, d'autre part parce que nous ne voulons pas qu'ils voient.

En plus, de deux choses l'une, soit ils ne manifestent rien, ne développent aucun symptôme apparent alors qu'un souci nous pèse, et cela a tendance à nous exaspérer ! Il peut même nous arriver de les accuser d'insouciance, alors que nous leur avons sciemment dissimulé nos soucis ! Soit ils prennent inconsciemment en charge nos émotions.

6. Il est « tout ce que je ne veux pas » !

Laetitia m'amène son fils de trois ans, Alexandre. Ce dernier pique des colères phénoménales. À trois ans, ce peut être encore l'époque des rages, mais les siennes sont d'une terrible intensité et peuvent durer des heures. J'écoute l'histoire des premières années de ce petit garçon. Les parents sont respectueux des besoins de leur enfant. Ils sont attentifs. Ni l'un ni l'autre ne crient jamais. Rien, en apparence, ne semble justifier les fureurs d'Alexandre, toujours déclenchées par des broutilles. Les colères sont si fortes qu'elles ne lui appartiennent probablement pas. Je reviens vers cette remarque de Laetitia : « Je ne crie jamais. » Je l'interroge sur son passé.

Le père de Laetitia avait un problème d'alcool. Très autoritaire, il devenait violent quand il avait bu. Il frappait sa femme et ses enfants. Sa mère subissait, pleurait. Tour à tour, elle ignorait ses enfants ou attendait d'eux qu'ils la prennent en charge. Aujourd'hui, les rapports de Laetitia avec ses parents sont distants. Elle leur en veut bien sûr de lui avoir ainsi gâché son enfance, mais elle refuse de « remuer le passé ». Elle a enterré sa colère et fait semblant.

Alexandre est né. Confrontée à ce tout-petit, son passé lui revient par flash-back, mais elle se ferme et refuse de sentir. Elle a été tant terrorisée, elle a tant de fureur, de douleur et de rage à l'intérieur d'elle... Mais elle réprime. Pour s'en protéger, elle projette hors d'elle ces émotions indésirables. C'est un des mécanismes dits de défense les plus archaïques. Elle projette inconsciemment sa colère sur son fils... En fait, elle se sert, toujours inconsciemment, de lui pour faire sortir ce qu'elle n'ose même pas sentir. Alexandre perçoit confusément que quelque chose à l'intérieur de sa maman bouge quand il hurle et se tape la tête contre les murs... Il a tendance à vouloir contenter maman, alors il recommence... Lui non plus ne le fait évidemment pas consciemment. Mais il est envahi d'affects qui le dépassent, qu'il est incapable de gérer. La tempête l'emporte. Très loin d'imaginer pouvoir se trouver à l'origine des fureurs de son fils, Laetitia est démunie, elle ne les comprend pas. Et elle ne peut les comprendre puisqu'elles ne sont en aucun cas des réactions d'Alexandre à son environnement d'aujourd'hui.

Elle se sent impuissante et cherche à calmer son fils, à faire taire les hurlements. Mais l'enfant est sensible aussi à cette petite partie de maman qui semble apprécier cette décharge. Les messages inconscients envoyés par sa maman priment sur les messages conscients. Alexandre est prisonnier de son besoin de réparer sa maman. Il prend en charge les rages qu'elle ne dit pas. Il est en colère contre elle comme elle n'a jamais osé l'être envers ses parents. Et peut-être aussi parce qu'elle ne s'en libère pas elle-même.

Lorsque nous évoquons cela en thérapie, du haut de ses trois ans, Alexandre écoute attentivement. Laetitia pleure, elle parle à Alexandre et lui dit : « Tu n'as pas à prendre en charge mes colères. Ce n'est pas à toi de t'occuper de moi. C'est moi, la maman. Je vais m'occuper de parler avec mes parents et leur dire ce que je n'ai jamais osé leur dire. C'est *mon* problème, c'est *ma* colère. »

Suite à la séance, ses colères démesurées ont disparu. Le petit Alexandre n'a plus que des colères normales, réactives à une frustration ou une injustice du présent.

Nos blessures guident inconsciemment nos attitudes. Elles nous mènent à adresser des messages non verbaux qui peuvent contredire nos injonctions verbales. Parce qu'ils ne sont pas explicites, les messages non verbaux sont toujours plus forts que nos paroles.

Une mère qui méprise les hommes par exemple, parce qu'elle aura été victime de sévices, aura du mal à estimer et à faire confiance à cet homme en devenir qu'est son fils. Elle l'aime et ne peut l'aimer. Elle ne peut que manifester une ambivalence à laquelle le bébé, le petit garçon, l'adolescent et le jeune adulte va réagir. Les enfants se construisent dans le regard de leurs parents.

Les chercheurs, de plus en plus conscients de la dimension systémique des problèmes dans une famille, étudient les symptômes en miroir entre parents et enfant. Une étude croisée sur 40 adolescents atteints de fatigue chronique et 36 « sujets-contrôle » a montré une corrélation entre la présence de fatigue chronique chez l'enfant et la détresse psychologique de la mère. Plus interpellant encore : une augmentation des heures passées par la mère à l'extérieur de la maison réduit le risque de fatigue chronique chez son enfant ! La certitude est là : l'état physique et psychique de l'ado est lié à l'état émotionnel de sa mère. Si la mère et sa détresse sont dans les parages, la fatigue s'abat sur l'ado. Parce qu'il doit réprimer sa colère envers elle ? Inutile en tout cas pour les parents de tenter de secouer l'ado fatigué. Sortir et goûter soi-même aux plaisirs de la vie seront plus efficaces pour le tirer de sa léthargie.

Les enfants réagissent aussi à des situations. Lorsqu'un enfant manifeste un comportement sortant de la norme, un petit tour d'horizon sur ce qui se passe autour de lui n'est pas inutile. Même s'il n'est pas officiellement au courant, il pressent, ressent... et réagit au non-dit. Un conflit dans la famille, un deuil, une annonce de séparation, une dispute entre les parents... Non, il n'a rien entendu, mais le lendemain, il fait une crise comme jamais. Il crise sur ses vêtements, sur la musique, sur les sorties... L'objet de sa hargne n'a en apparence rien à voir avec le secret qui la motive pourtant inconsciemment.

Les enfants à tous âges réagissent à ce que les adultes tentent de taire. Et si nous apprenions à leur parler afin d'éviter de les punir pour ce comportement que nous pourrions bien avoir suscité par notre silence ?

L'enfant cherche toujours à se conformer à ce que ses parents lui demandent. Si cela ne nous apparaît pas évident, c'est d'une part qu'il a tendance à interpréter nos définitions de lui comme des commandes. « Tu es peureux » résonne rapidement en « sois peureux ». Puisque c'est le parent qui le dit, ce doit être vrai, donc il se conforme. Et surtout parce qu'il entend parfois plus fort les attentes inconscientes que les demandes conscientes.

7. Une histoire qui se répète

«**M**atthieu traversait la route en courant. Je lui ai donné une gifle, c'était spontané, c'est parti tout seul. C'est normal, non ? C'est dangereux de traverser comme ça ! Il a compris, je te le garantis ! »

Non, ce n'est pas naturel de frapper un enfant lorsqu'il fait quelque chose de dangereux. C'est peut-être la norme parce que notre société n'a pas encore réglé ses problèmes de violence, mais ce n'est ni naturel, ni sain. C'est considérer que l'enfant n'est qu'un animal à dresser. On lui inculque le réflexe de Pavlov. Oui, ça marche, parfois. Mais il y a des effets secondaires. Donner une gifle à un gamin qui court dans la rue va le rendre attentif à la présence d'adultes censeurs… Pas forcément aux voitures. Sans compter les réactions de rébellion que cela pourra susciter plus tard.

Catherine a donné cette gifle, partie toute seule, à son fils. Je l'interroge. Oui, elle a été beaucoup giflée petite, mais jamais abusivement, dit-elle. Quand elle faisait des bêtises ou quelque chose de dangereux. Elle a toujours considéré les gifles reçues comme justes. Je l'invite à se souvenir davantage. Elle ne retrouve aucune situation, en revanche, elle se souvient des gifles.

– Que ressentais-tu quand tu recevais une gifle ?

– Ça me brûlait la joue, je détestais ma mère. Je partais dans ma chambre en maugréant contre elle. Je cherchais un coup vache à lui faire… C'est sûr, je ne pensais plus du tout à la bêtise commise. Ça me donnait envie de faire mes coups en douce et de n'être pas prise, c'est tout !

La brûlure efface la conscience de l'erreur commise et détourne l'attention de l'enfant vers la relation à son persécuteur. Retrouvant la réalité de son vécu au-delà du discours appris, Catherine a admis que ces gifles ne lui avaient rien enseigné et n'étaient décidément pas une méthode d'éducation. Alors, que s'est-il passé pour Catherine quand Matthieu a traversé la rue en courant ? Elle a eu peur pour lui, mais pas seulement. La situation a aussi ramené la mémoire inconsciente d'une situation similaire dans son passé.

Face à une situation donnée, le cerveau recherche la réponse appropriée. Si l'analyse n'est pas consciente, surtout dans les situations d'urgence, le cerveau va rechercher des schèmes comportementaux dans son stock. La mémoire de situations semblables va être activée. Qu'ai-je déjà vu ou vécu qui peut guider mon attitude ? Les images restent inconscientes, elles n'en sont pas moins influentes. Ensuite le cerveau choisit, bien logiquement, dans ce qui émerge, le comportement qui déclenchera le moins d'émotion négative.

Quand son fils traverse la rue, le cerveau de Catherine trie les éléments signifiants. L'enfant fait une bêtise, il se met en danger : que dois-je faire ? Le cerveau assimile cette situation aux situations vécues dans son passé. Lorsque Catherine faisait une bêtise ou se mettait en danger, elle recevait une gifle. Dans son souvenir inconscient, il y a l'enfant qu'elle était, avec ses sentiments, et sa mère, avec ses comportements. En cet instant précis, elle a deux choix : soit s'identifier à l'enfant qui reçoit la gifle, soit à sa maman qui la donne. Son cerveau choisit le comportement le moins douloureux.

Tant que nos souffrances d'enfant ne sont pas mises au jour et guéries, notre cerveau ne veut pas prendre le risque de les réveiller, il nous « protège » de l'irruption de nos rages, terreurs, désespoirs d'enfant en choisissant de répéter le comportement vu, d'autant qu'il y a de bonnes chances pour qu'il ait été codé comme « juste et bon » par nos parents. Et c'est ainsi que nous répétons les comportements de nos parents. Cela avec bonne conscience ou à notre grand désespoir. La psychanalyse a très bien élucidé ce mécanisme de défense et le nomme « identification à l'agresseur ».

Ne réduisons pas toutes nos attitudes parentales à de simples répétitions. Mais savoir que ce mécanisme existe est très déculpabilisant pour les parents qui en sont victimes et s'en désespèrent.

Il arrive aussi que nous ayons conscience d'avoir souffert, et choisissions plus ou moins consciemment de faire exactement le contraire de ce que faisaient nos parents. Ils interdisaient tout ? Nous permettons tout. Ils nous obligeaient à manger ? Nous ne donnons jamais à notre enfant ce qu'il ne veut pas. Ils ne mettaient pas de limites ? Nous optons pour la sévérité ! Mais là encore, nous agissons en réaction par rapport à notre histoire, davantage que par mûre réflexion sur les besoins de notre enfant. Nos comportements sont automatiques.

Être conscient d'avoir été blessé est insuffisant. Tant que les émotions refoulées n'ont pas pu être exprimées et entendues, elles seront actives. Une attitude en opposition à celle de nos parents ne dit que notre colère rentrée envers eux. Elle n'est pas une position éducative rationnelle. Nous avons bien sûr tendance à considérer nos comportements éducatifs comme librement choisis. Nous sommes souvent convaincus d'avoir guéri de notre passé. Osons observation et introspection. L'excès et le côté systématique sont susceptibles de nous alerter.

Dans chaque situation, nous avons le choix : nous identifier à l'enfant que nous étions, oser nous souvenir de notre vécu, de nos émotions, parfois intenses, ou le refuser en nous identifiant à nos parents, modélisant leurs comportements ou en prenant l'exact contre-pied. Si nous refusons la conscience, l'automatisme jouera le plus souvent contre l'enfant, car qui voudrait déterrer des souvenirs dont personne ne désire se préoccuper ?

Notre enfance est si loin. Si nous n'avons jamais franchi la porte d'un cabinet de psychothérapeute et opéré de retour sur notre passé, notre propre histoire nous est souvent inconnue. Certes, nous avons bien des souvenirs, mais dans la plupart des cas ils ne sont guère ni libérés des émotions qu'ils évoquent, ni organisés et reliés entre eux pour nous rendre notre liberté. Ils ont fait la personne que nous sommes aujourd'hui, une personne qui nous est tout à la fois familière et inconnue. Nous nous connaissons dans une certaine mesure, nous sommes « habitués » à nos réactions, mais nous ne les maîtrisons pas. Que s'est-il passé ? Nous avons en général gardé les souvenirs positifs et agréables et avons gommé la partie souffrante. Oubliées les humiliations, notre détresse quand papa grondait, la rancœur face aux punitions, la peur dans le noir... Nous avons enregistré cette conviction : même si nous avons eu mal sur le moment, nos parents ont agi « pour notre bien ». Ils ont fait ce qu'ils pouvaient avec les chenapans que nous étions. Certes, je caricature, mais je vous invite à considérer le grain de vérité qui peut aider à mieux comprendre ce qui se passe en soi. Comme nous pensons que les punitions infligées par nos parents étaient justifiées, et leurs attitudes mues par leur amour pour nous, quand nos enfants se comportent comme nous, font les mêmes « bêtises » ou « caprices », nous sommes tentés par la même réponse.

Inconscients de ce qui se passait à l'intérieur de nous quand nous étions petits, nous n'avons plus de repères pour sentir ce qui se passe pour notre enfant. Nous cherchons alors à nous comporter nous aussi « pour son bien », à faire ce qui est « bon pour lui », en obéissant davantage à nos certitudes éducatives qu'à notre sensibilité, et ce d'autant plus que cette sensibilité est plus ou moins enfouie. Nous éprouvons parfois du remords à nous comporter comme nous le faisons, mais nous n'écoutons que rarement cette petite voix de notre cœur ; surtout quand d'autres plus « autorisées » résonnent.

La violence engendre la violence : l'enfant frappé par ses parents se sent impuissant. Il se sent coupable et réprime sa rage. Devenu parent à son tour, tout sentiment d'impuissance face à son enfant peut réveiller la rage enfouie. Le souvenir reste inconscient. Le parent débordé par l'intensité de ses affects déverse sur son enfant la fureur si longtemps réprimée.

8. La fuite de la douleur

La plupart des pères, qui partent tous les jours au travail et ne reviennent que le soir, ne mesurent absolument pas ce que vit leur femme. Ils idéalisent souvent sa situation à la maison : « Tu as de la chance, toi ; tu es tranquille ici. » En fait, derrière ces paroles, ils ont probablement une petite idée de la vérité, puisque les études montrent qu'ils fuient la maison. Et s'ils fuient, c'est bien parce qu'ils ont peur de quelque chose ! Eh oui, dès qu'un homme est papa, il se met à faire davantage d'heures, au bureau ou au café, pour ne pas rentrer trop tôt !

Bien sûr ce ne sont que des statistiques, il y a aussi des papas poules qui courent à la maison dès que leur travail le leur permet et qui n'hésitent pas à prendre un congé pour emmener le petit chez le pédiatre. Reste qu'un bon pourcentage de messieurs rentre de plus en plus tard chez eux dès que ce chez-eux est habité par un tout-petit. On pourrait croire qu'ils travaillent davantage pour gagner plus, c'est peut-être comme cela qu'ils justifieront leur choix, mais ce n'est pas la réalité. Non. Ils ne veulent tout simplement pas vivre ce que vit leur femme, et surtout pas réveiller les intenses émotions de leur enfance. Eux ont le choix ! Ils ont socialement le droit de s'échapper. Les femmes ne peuvent fuir. Tout le monde attend d'elles qu'elles assurent…, qui plus est, avec le sourire !

Une société située dans une zone industrielle de la banlieue parisienne, soucieuse de la nécessité de la présence des pères auprès de leur famille, décida de fermer ses bureaux à 19 heures[1]. En l'absence de café dans le coin, la direction a été stupéfaite de voir les cadres continuer à discuter jusqu'à 20 heures sur le pas de la porte, même en hiver ! C'est dire la terreur que leur inspiraient leurs rejetons.

Quand les papas rentrent du travail, ils sont fatigués. Mais pas forcément en raison de ce qu'ils ont accompli dans la journée. La fatigue est souvent un symptôme de répression émotionnelle. Il s'agit d'une tentative d'anesthésier des souffrances dont ils préfèrent ne pas prendre conscience.

Tous les soirs, Émilien rentrait tard. Le dimanche, il demandait à sa femme et à ses enfants sur le ton de l'homme débordé qui donne déjà tellement : « Je vous demande juste un petit moment de calme pour lire mon journal », et il disparaissait pendant plus de deux heures. Il promettait d'être davantage présent et disponible pendant les vacances « quand le travail me lâchera un peu ». Mais une fois en congé, il dormait tard et beaucoup… Selon lui, grasses matinées et siestes étaient nécessaires pour récupérer de l'année si stressante… Vacances, dimanches et jours fériés, son épuisement ne cessait que le soir, quand ses enfants étaient couchés. Il pouvait alors regarder la télévision, surfer sur Internet ou bricoler jusqu'à 1 heure du matin.

En thérapie, Émilien a pris conscience des émotions qu'il dissimulait sous sa fatigue. Il savait plus ou moins qu'il n'avait pas envie de donner davantage d'attention à ses enfants, surtout à son fils de quelques mois. Il avait beaucoup de mal à jouer avec ce bébé. Au bout de trois risettes,

---

1. *In Courrier international*, 2005.

ayant épuisé son répertoire, il s'ennuyait ferme. « Il est trop petit, disait-il. Quand il parlera, ce sera différent. »

En réalité, Émilien avait tout simplement du mal à vivre l'intimité. Or avec un bébé, on est mis au défi de l'intimité. Émilien croyait vraiment être fatigué par son travail. Il ne pensait pas avoir un gros problème avec son fils. Il trouvait naturel, normal de ne pas jouer avec lui et que sa mère s'en occupe quasiment en permanence. « C'est un travail de femme, un bébé a d'abord besoin de sa maman », se justifiait-il.

Je lui ai demandé de rester une heure entière à jouer avec son bébé, avec une consigne : ne pas fuir, ne pas s'ennuyer, et pour ce faire, être attentif à tout ce qu'il ressentait, à ses émotions, sentiments et pensées.

Émilien a été stupéfié par l'intensité de la douleur entraperçue. « Je me suis retrouvé bébé et je crois bien qu'au-dessus de moi j'ai peur de découvrir qu'il n'y a personne. »

Les parents d'Émilien ne savaient pas être attentifs. Ils n'étaient pas là pour lui. Son père était lui aussi plus passionné par son travail que par son bébé. Sa mère n'avait ni envie de le porter trop souvent dans les bras, ni d'accourir au moindre pleur, ni de se lever la nuit. Le petit Émilien s'était senti bien seul. C'était trop douloureux, il a enfoui sa souffrance dans son inconscient.

Émilien ne s'est jamais rebellé contre ses parents. Pas même une petite crise d'adolescence. Il est parti tôt de chez lui, à dix-sept ans, mais il a mis ça sur le compte de son envie d'être autonome et l'éloignement de son université. Puis, il est allé vivre plusieurs années à l'étranger. « On ne s'intéresse pas à moi, autant être loin pour pouvoir croire que la distance est kilométrique plutôt qu'affective. » Il est peu à peu devenu aussi distant à lui-même que l'étaient ses parents avec lui.

Tant qu'il était célibataire, il pouvait ne pas s'en rendre compte. Mais une fois devenu père, il lui était trop douloureux de voir ses enfants recevoir ce qu'il n'avait jamais reçu. Surtout quand son petit garçon est né. Ce petit garçon, c'était lui petit. Il ne voulait pas rencontrer ce petit garçon en lui, il ne voulait pas revivre la détresse de la solitude. Il évitait le contact de ses enfants, pour ne pas risquer de réveiller ses sentiments archaïques d'abandon. Fuir l'intimité pour ne pas revivre le manque. Ce n'est pas son petit garçon qu'il fuyait, mais la douleur du petit garçon qu'il avait été.

Les femmes aussi vivent cette souffrance de la réactivation des souvenirs inconscients. Mais, au contraire des hommes, elles ont moins de possibilités de fuir physiquement, alors elles fuient dans la dépression.

9. Quand on n'a pas le droit d'exister

Pour cette maman-là, c'était trop dur. Peu à peu, elle a commencé à en vouloir à son bébé et à le détester de ce qu'il lui faisait vivre. Elle s'est mise à le rejeter. Elle n'en pouvait plus. Elle n'arrivait pas à l'aimer. Un jour a surgi en elle l'envie de mettre fin à ses jours…

Quand une maman songe à se suicider, ses amis, sa famille tentent en général de la raisonner : « Tu as tes enfants, pense à eux, tu n'as pas le droit de faire ça. » C'est encore la nier. Elle reste peut-être alors pour ses enfants, mais son entourage le lui a confirmé : elle n'a pas de valeur pour elle-même. Ses parents ne lui reconnaissent pas de droit, pas même sur sa propre existence. Elle n'est là que pour les autres, pour ses enfants. Comment pourrait-elle ne pas en vouloir à ces derniers ? Elle peut s'enfoncer plus encore dans la dépression ou devenir violente. Parfois les deux.

Céline sort d'une longue dépression. Elle était mal, tellement fatiguée et désabusée qu'elle ne supportait rien de la part de ses deux enfants de huit et quatre ans. Il lui arrivait de les frapper. Elle se détestait pour cela, ce qui n'arrangeait pas son image d'elle-même. Elle en témoigne : « J'ai eu envie de me suicider, je vivais par devoir envers mes enfants, en fait je survivais, je n'arrivais pas à vivre vraiment. Et puis j'ai réalisé que c'était lourd pour mes enfants. Ce n'était pas à eux de me porter à bout de bras. Ni ma vie ni mon bonheur ne devaient dépendre d'eux. Ma vie me concernait. Ma vie m'appartenait. Je n'étais pas obligée de rester pour eux. Au moment où je me suis dit que je n'étais pas en charge d'eux, que j'avais le droit de me suicider, je me suis donné le droit de vivre. Pour moi ! Plus pour mes enfants. Ça a été le début de la sortie du tunnel. J'ai cessé de les frapper. Je ne leur en voulais plus du poids qu'ils étaient pour moi. Je n'étais plus contrainte de vivre pour eux, j'avais décidé de vivre, pour moi. »

Bien sûr, au moment d'un passage à l'acte, il n'est pas rare qu'une pensée vers les enfants retienne le geste de l'aspirant au suicide et c'est bien sûr une très bonne chose. Marthe confie : « Si ma fille n'avait pas été là, je me serais tuée. J'ai pensé à elle et je n'ai pas voulu qu'elle grandisse sans mère. » Cela devient problématique quand la dynamique de dépendance s'installe. « Je n'ai plus de goût à la vie, je ne reste que pour mon enfant. » Dans le cas de Marthe, cette pensée tournée vers sa fille a suspendu son geste, mais elle a continué son chemin de guérison pour reprendre goût à la vie.

10. D'OÙ VIENNENT CES FANTASMES SUR LES ENFANTS ?

« C'est terrible, me confie Olivia dans un soupir. J'ai des fantasmes de viol sur ma fille. Je la vois nue, je m'imagine en train de lui faire mal, de la violer. Je suis effarée par ces images que je vois. Je me sens tellement coupable... » Elle pleure. Olivia n'avait heureusement jamais réalisé ses fantasmes. Mais elle était terrorisée à l'idée de ne pas pouvoir se retenir un jour.

Olivia est-elle perverse ? Non. Dans notre inconscient à tous, ce genre d'images existe. Quand elles deviennent obsédantes : elles cachent une blessure dont il faut déceler la source. Concernant Olivia, il y a plusieurs hypothèses...

1. Ces images parlent d'elle : elle a été victime de viol (pénétration, attouchement ou exposition à des images obscènes). Elle en a le souvenir ou non.

2. Elle a été témoin d'une scène de viol dont elle n'a pas pu parler et qui est encore ancrée en elle. Elle peut en avoir le souvenir ou non.

3. Elle transpose une situation de soumission. Elle a été victime d'un abus non sexuel. Elle s'est trouvée dominée sans pouvoir se défendre, humiliée. Ses images sont sexualisées

peut-être parce qu'il s'agit d'un abus contre elle en tant que membre du sexe féminin.

4. Une de ses ancêtres, sa mère, sa grand-mère, une tante à laquelle elle s'est identifiée consciemment ou non, a subi un viol. Olivia peut ou non le savoir.

Nous explorons ces différentes dimensions. Olivia n'a pas subi d'outrage sexuel, mais une enquête dans sa famille a mis bien vite au jour que sa propre mère avait été violée quelques années avant sa naissance. Une femme violée réagit forcément à la vue du corps de sa fille. Si elle n'a pas pu guérir ce passé, libérer sa peur, sa douleur, son dégoût, sa rage…, elle est habitée par ces affects. Se mettre dans la peau de l'agresseur est un mécanisme de défense contre l'irruption de ces émotions intenses. La maman d'Olivia n'a pas pu ne pas imaginer que la même chose pouvait arriver à sa fille. Des images de viol, d'agression, s'abattant sur sa fille ont probablement surgi dans son esprit. Elle en témoigne d'ailleurs : « J'avais si peur pour toi ! » Si je n'ai pas recueilli le témoignage direct de la mère d'Olivia sur ses fantasmes, j'ai entendu celui d'autres mères ayant subi des attouchements ou des viols. Elles ont évoqué ces images qui viennent lorsqu'elles lavent la petite fille, la voient nue, mais aussi à toutes sortes d'autres moments, et notamment quand elles risquent de se sentir impuissantes. Perdre le contrôle est dangereux, c'est risquer de revivre l'horreur. Les images de soumission de leur fille leur évitent de sombrer dans le souvenir de leur propre soumission.

Entre parent et enfant, les inconscients communiquent, et les images fantasmées de la mère s'insinuent dans l'inconscient de la fille. Olivia est habitée de fantasmes qui parlent du passé non guéri de sa maman. Une fois qu'Olivia a pu mettre des mots, tant sur sa propre histoire que sur celle de sa mère, les fantasmes ont disparu. Si elle n'avait pas pu en parler, elle dit ne pas savoir ce qui aurait pu arriver.

Il est important de mesurer combien l'impulsion peut être forte et combien il peut être difficile de lutter. L'inceste est un grave problème et il ne suffit pas de dire que cela n'est pas bien pour le supprimer. Il est hors la loi, mais il continue de se produire parce que l'information ne suffit pas. Un parent habité par des fantasmes incestueux a besoin d'aide pour ne pas passer à l'acte. Il a été démontré à de multiples reprises que les parents incestueux, ceux qui passent à l'acte, ont été abusés eux-mêmes enfants. Cela ne les excuse pas, mais nous permet de comprendre l'origine et la dynamique à l'œuvre dans le psychisme. En passant à l'acte, le parent a donné la permission à son enfant de le faire aussi. Même si l'enfant a été profondément atteint, il a annulé la conscience de sa blessure. Adulte, il répète la blessure comme pour l'annuler. « Je ne veux pas que cela soit destructeur, donc cela ne l'est pas, je le prouve en commettant à mon tour l'innommable. »

Les fantasmes sont un essai de mise à distance de la blessure. Voir les images est comme une tentative de digestion de l'insupportable. « Je le passe et le repasse dans ma tête, je le projette sur autre que moi pour l'éloigner ». De la même manière que les enfants reviennent sans cesse dans un livre à une image qui les terrorise – l'hydre, le méchant loup, le monstre… –, non parce qu'ils l'aiment particulièrement comme parfois les parents le croient, mais parce qu'elle les interpelle trop.

Fantasme ne signifie pas passage à l'acte. Mais la récurrence du fantasme ou sa complexification doivent nous mener à consulter. En effet, les fantasmes non exprimés ont tendance à se nourrir d'eux-mêmes, à élaborer des scénarios de plus en plus complexes, et peuvent finir par lever les barrières de la morale. Quand ces dernières sont suffisamment solides, le parent est contenu. Il souffre en silence de ses images, il écarte souvent son enfant de lui comme pour éloigner la tentation. Mais le danger d'un passage à l'acte n'est pas écarté.

Les violences sexuelles contre les mineurs explosent. Plus de 800 cas ont été traités par la justice à Paris en 2004. Près de 70 % des victimes sont âgées de moins de 15 ans. Ces agressions se déroulent à 60 % dans le milieu familial[1].

L'ODAS (Observatoire décentralisé de l'action sociale) met en cause une fragilisation des familles et souligne que, contrairement à une idée plus ou moins répandue, la précarité économique ne constitue que minoritairement un facteur de danger. En revanche l'isolement social joue un rôle central.

D'où l'importance de ne pas se taire, d'oser évoquer nos blessures et nos fantasmes, nos images et nos tentations. Pour que tout le monde ose davantage en parler et que ceux qui ont besoin d'aide et de soutien sentent qu'ils peuvent s'exprimer sans être jugés. Précision : avoir un fantasme sexuel n'indique pas forcément un désir ! C'est bien plus complexe que cela. Un fantasme est une image mentale, contraction de multiples sensations, émotions et pensées inconscientes. Quand le fantasme se fait récurrent, écoutons-le. C'est un message de notre inconscient. Il est nécessaire d'aller au-delà des images apparentes pour écouter et analyser ce qui le sous-tend dans toute sa complexité. Conclure à

---

1. D'après l'ODAS (2001), on peut estimer que 1 fille sur 8 et 1 garçon sur 10 sont victimes d'abus sexuels avant l'âge de 15 ans ! 22 % d'entre eux ont moins de 6 ans. Dans 4 cas sur 10, l'enfant est victime d'agressions répétées.

une quelconque perversité est réducteur et éloigne de la guérison.

Quand on a été violé, les barrières de la morale se sont effondrées. Elles ne nous ont pas protégés. Elles sont en ruine. Elles ne sont plus là pour nous encadrer. Le parent est exposé sans garde-fou, sans barrière de sécurité, il glisse. Il répète ce qui lui a été fait. L'acte est dévastateur pour l'enfant. Le parent au passé blessé, vulnérable, a besoin d'aide pour ne pas y céder. Juger la personne, la définir perverse, c'est aggraver son humiliation, augmenter le risque de récidive. Juger l'acte, c'est rétablir une barrière contenante.

Un fantasme est une image mentale. Il n'exprime pas forcément un désir, mais une blessure, une souffrance intérieure, des émotions réprimées.

11. La blessure du témoin impuissant

Solène m'écrit : « Voici, dans mon histoire, le souvenir qui me fait le plus mal : ma mère bat ma sœur Mathilde dans la cuisine parce qu'elle ne veut pas manger sa soupe. La scène se passe juste dans mon dos car je suis assise à ma place à table, comme tout le reste de la famille. Mathilde est à terre et maman continue de la taper. Je vois une telle violence dans son regard que cela me terrorise. J'ai entre cinq et sept ans, et je ne parviens pas à mettre du sens entre la cause et la brutalité de la sanction. Je me sens encore figée par l'impuissance. Frappée pour ne pas vouloir manger sa soupe ? Ou battue pour oser faire des colères ? »

Être témoin d'une scène de violence marque durablement. Les sentiments sont complexes. Les émotions sont si fortes qu'on ne sait celle qui l'emporte : terreur face à cette folie lue dans les yeux du parent, peur des conséquences, de la suite, souffrance de voir la victime souffrir, rage de l'impuissance : je ne peux rien faire pour faire cesser cette violence ; et enfin culpabilité : « Je ne fais rien, alors que je devrais faire quelque chose », même si du temps a passé. Le tout avec absence de repères sur ce qui est juste et injuste, ce qui se fait et ce qui ne se fait pas. « Puisque mon parent frappe, c'est qu'il est bon de frapper... mais ça fait mal et ça fait peur... donc ce n'est pas bon, mais s'il le fait... »

Tout cela fait des nœuds qui peuvent avoir des conséquences graves et durables : problèmes à l'école, difficultés de sociabilité, dépression, anxiété… C'est aussi un facteur de risque de délinquance, de prise d'alcool ou de stupéfiants et bien sûr de violences futures.

Les femmes dont le mari a été victime de violences lorsqu'il était plus jeune ou a été témoin de violences exercées contre sa mère sont plus souvent maltraitées. De nombreuses études montrent que les enfants issus de foyers dans lesquels la violence est utilisée comme moyen de résolution de conflit ont des comportements plus agressifs que les autres et risquent trois fois plus d'être impliqués dans des bagarres. Comme victime ou comme auteur !

Tous les adultes qui ont été directement victimes enfants ou témoins de scènes de violence ne deviennent pas des parents violents. Ils peuvent rester victimes.

Sandra a été beaucoup humiliée, frappée et giflée par son père comme par sa mère. Maman à son tour, elle n'a jamais touché un cheveu de sa fille… Mais elle a de nouveau été victime de violence. Elle a été battue plusieurs fois par son mari, jusqu'à la dernière fois, qui a déclenché sa prise de conscience et le début de sa thérapie. Sa fille a été témoin de scènes terribles. Sandra a aussi laissé son mari gifler sa fille sans intervenir une seule fois. Elle était interdite devant le geste de son époux comme autrefois devant son père. Une totale sidération. Après, elle est allée consoler Élienor, mais le mal était fait. Elle l'avait trahie. Élienor est maman à son tour. Elle est dure avec sa fille, la gifle souvent. Sandra regarde sa petite-fille souffrir avec désespoir. Elle ne sait pas comment agir. Élienor ne l'écoute pas et justifie les gifles en arguant des « désobéissances » de sa fille. Sandra n'a jamais été violente envers son enfant. Élienor n'a reçu qu'une gifle de la part de son père, quand elle était adolescente, mais cette gifle a focalisé en un point toute la violence familiale. Son père l'a frappée et sa mère n'a rien dit. Élienor frappe sa fille comme elle a été frappée, et/ou plutôt comme elle a vu son père frapper sa mère. Certes, ce n'est pas de sa mère qu'Élienor a hérité la violence. C'est le père qui était violent. Mais pour refuser l'héritage paternel, Élienor aurait eu besoin que sa mère sorte du statut de victime.

Par son silence, le témoin autorise la violence, il est complice. L'enfant témoin de violence sur autrui, sur un frère, sur sa mère, peut en souffrir autant que s'il était victime lui-même. Il aura tendance à la répétition de cette violence, en tant qu'acteur ou victime.

Quand Sandra a pu, grâce à la psychothérapie sortir de sa position de victime, tant vis-à-vis de son mari que vis-à-vis de ses parents, lorsque enfin elle a osé prendre toute sa puissance et montrer sa colère, dénoncer l'injustice et se protéger, sa fille, Élienor a pu évoquer avec elle cette violence qui l'habitait dans certaines situations. Parce que le problème a pu être dit, perlaboré, c'est-à-dire traversé et intégré émotionnellement, elle ne frappe plus sa fille et la relation entre grand-mère, mère et petite-fille est devenue plus fluide et intime.

12. Compétition

« Il n'y a pas de raison pour que tu aies ce que je n'ai pas eu. » La compétition avec l'enfant peut exister à tous les âges. « Mon père ne s'est pas levé pour me consoler la nuit, je ne le fais pas pour mon enfant/Je n'ai pas eu de vêtements neufs, mes enfants n'en auront pas non plus/Je n'avais pas le droit de sortir avec un garçon, ma fille non plus/Je suis parti de chez moi à l'âge de dix-huit ans pour m'assumer, mon enfant partira au même âge, je ne vais pas l'assister... »

J'ai entendu hommes et femmes parler de cette compétition. Il n'est pas toujours facile de voir un enfant recevoir ce que nous n'avons pas eu. Cela met en évidence le manque, souligne combien nous aurions pu, dû y avoir droit nous aussi. Certains arrivent à le gérer, en faisant le deuil de l'enfance qu'ils n'ont pas eue, d'autres pas. Souvent parce que la première émotion du travail de deuil est la colère envers le parent et que cette émotion est interdite. D'autres sont conscients de ce qui se passe en eux. « Je n'ai pas eu de mère, je ne me sens pas capable d'être mère, je serais trop jalouse de ce que ma fille recevrait. » Il y a aussi les inconscients de ce qui sous-tend leurs attitudes, comme cette mère qui habille mal ses filles pour éviter la concurrence sur le plan physique ! Pour faire bonne mesure, elle leur rappelle souvent qu'elles sont « moches ».

Nombre de papas vivent la compétition en confondant leur femme et leur mère. Les mamans disent se retrouver avec un enfant de plus à la maison. Marc le dit clairement. Il ne supporte pas que sa femme s'occupe de leur enfant. « Tu ne t'occupes plus de moi », gémit-il. Robert, lui, est trop fier pour avouer les choses aussi crûment. Mais il ne cesse de critiquer sa femme : « Tu t'occupes trop de Thomas, tu accours au moindre pleur, tu peux bien le laisser chouiner un peu ! » Bébé, Thomas n'a pas été allaité, parce que son père ne voulait pas. Il s'enfermait dans un discours abstrait pour se justifier, mais le vrai souci était que les seins de sa femme devaient rester son exclusive propriété. L'idée qu'un autre que lui les accapare lui était insupportable, fût-il son fils.

Certains parents ne donnent pas à leurs enfants le droit de les dépasser. Il arrive qu'une mère supporte mal la féminité de sa fille, la dévalorise, l'oblige à porter des vêtements qui ne lui vont pas… pour qu'elle ne soit pas plus jolie qu'elle. Il arrive qu'un père n'autorise pas ses enfants à dépasser son niveau scolaire ou à gagner davantage d'argent que lui. Tout cela n'est pas dit ouvertement, bien sûr. Mais l'enfant entend très bien le message et se sabote. Fustiger ces parents ne ferait qu'aggraver le problème. S'ils se comportent ainsi, c'est par carence de reconnaissance.

La compétition est parfois tout à fait inconsciente. Certains parents vivent leur enfant comme un tyran. Ils ne supportent pas ses demandes, ses besoins, sa dépendance, qui obligent certes un parent à mettre de côté pour un temps ses propres envies, voire ses besoins.

« Je ne veux pas me sacrifier ! Moi aussi, j'ai des besoins. J'ai besoin de sortir, d'aller au resto, au cinéma… » Ce ne sont pas des besoins, mais des désirs. Ce n'est pas vital, et n'est donc pas à mettre en balance avec les besoins de l'enfant de se nourrir, de recevoir de la tendresse. En réalité, derrière l'expression de ce besoin, que le parent perçoit comme impératif, se cachent des peurs. Peur de l'intimité, peur de voir resurgir les émotions de sa propre enfance.

La mère, épuisée, peut avoir le sentiment d'être prisonnière, exploitée par l'enfant. Le plus souvent, elle n'a guère le choix, elle reste auprès de ses enfants et leur en veut. Elle croit que ce sont eux les barreaux de sa prison.

Il est plus facile pour les pères de se donner un peu de liberté vis-à-vis de leurs responsabilités parentales : « Je bosse toute la semaine, le dimanche, j'ai besoin de décompresser ! » Parfois, ils y croient ! Hélas pour les mamans comme pour les enfants, eux aussi y croient, voire protègent les espaces de « liberté » de leur mari/père. Alain part sans culpabilité avec sa planche à voile tous les dimanches. Patrick dort jusqu'à midi, puis passe l'après-midi au tennis… Ce n'est pas de la liberté. C'est de l'évitement. Ils privilégient leurs propres besoins, ou plutôt ce qu'ils nomment comme tels, au détriment des besoins des enfants. Dans cette compétition, les enfants ne peuvent que se soumettre. Ces pères ne sont pas heureux pour autant, le paquet de souffrance de leur propre enfance qui fait obstacle à une relation saine à leur enfant est toujours là, leur peur de l'intimité reste intacte.

13. Vengeance inconsciente

Nos réactions violentes envers nos enfants ont aussi une autre dimension : celle de la vengeance de notre propre enfance. Oh, bien sûr, il s'agit encore d'un mécanisme totalement inconscient. Il est d'une autre dynamique que la compétition qui nous oppose parfois à nos enfants.

Quand nous avons été blessés petits, et avons dû refouler nos émotions, non seulement nous avons conservé la trace de ces affects directement liés aux frustrations, humiliations et injustices subies, mais nous avons aussi conçu du ressentiment du fait de n'avoir rien pu dire. Cette rancœur, nourrie jour après jour par l'obligation de la répression, est peu à peu devenue véritable rage. Cette rage, cette haine même parfois envers les parents, reste en soi, prête à surgir. Elle est si puissante qu'en psychothérapie il n'est pas rare qu'une personne dise : « Si je commence à sentir la colère que j'éprouve envers mes parents, je crains qu'ils n'en meurent » ou « Je ne pourrai jamais leur parler, ça va les tuer ». Ces inquiétudes, voire ces fantasmes, sont à la mesure de l'intensité de la colère contenue : une fureur que nous craignons dévastatrice. Bien sûr, dans la réalité, ces émotions libérées dans le cabinet du psy ne dévastent rien. Et la personne se soulage d'un poids qui ne pouvait qu'altérer sa relation à elle-même. Mais, malheureusement, quand on n'a pas l'occasion de libérer cette haine dans un cadre protecteur, nous risquons de lui permettre de s'exprimer sur d'autres qui ne nous ont rien fait, trop dépendants pour se défendre et moins impressionnants que nos parents. J'ai nommé... nos enfants !

14. Fidélité

Patricia vient me voir parce qu'elle n'arrive pas à montrer sa tendresse à ses enfants. Elle voudrait leur dire tout son amour, les câliner... Elle en est comme empêchée : « Je ne maîtrise pas, je deviens dure, un rien m'exaspère et je les insulte. Je m'en veux terriblement, mais je n'arrive pas à faire autrement. Chaque jour, quand je rentre, je m'imagine leur dire combien je les aime, je me prépare, j'ouvre la porte... Et je ne peux pas m'empêcher de voir le truc qui ne va pas. Le cartable qui traîne, les devoirs pas encore faits, le pipi sur la lunette des toilettes... Je hurle et je m'en veux. C'est comme si j'étais incapable d'être proche d'eux. »

Nous parlons de son enfance. Elle a été élevée dans une « famille colère ». Tout le monde était tout le temps en colère, parlait fort et s'insultait. C'était le mode relationnel institué. Dès qu'un membre de la famille montrait de la tendresse, les autres se moquaient de lui.

En évoquant ces images du passé, Patricia comprend pourquoi il est si difficile de montrer quelque tendresse ou affection que ce soit. Son histoire lui saute à la figure. Jusquelà, elle avait accepté sa famille telle qu'elle était. Elle avait certes déploré l'absence de tendresse et de relation intime, mais n'avait jamais vraiment remis en cause ce mode de

173

fonctionnement. Elle n'avait jamais eu conscience de sa souffrance de petite fille.

Prenant dans mon cabinet contact avec des émotions refoulées depuis plus de trente ans, elle était submergée par la douleur. Oh, la colère, elle connaissait ! Elle ne connaissait que cela. Elle avait appris à substituer de la colère à toutes les autres émotions. Chez elle, l'amour était inexprimable, interdit, moqué. Seule la colère avait le droit d'être exprimée.

Montrer de la colère était assimilé à montrer son appartenance au groupe familial. Manifester de la tendresse, c'était faire partie des autres, des nuls, de ceux de l'extérieur, des mièvres, des trop tendres, de ceux dont on se moquait.

Non seulement Patricia n'avait pas appris à dire des mots doux, mais cela lui était interdit sous peine d'être exclue de la famille. Elle appartenait à une famille-colère. Elle reproduisait ce schéma par fidélité à ce langage familial.

Les fidélités inconscientes peuvent nous mener à toutes sortes de comportements, hélas souvent destructeurs. Nous sommes en effet plus fidèles aux attitudes qui cachent des blessures. Ce sont ces dernières qui attendent d'être guéries.

Un enfant peut se mettre en échec scolaire pour être fidèle à la tradition familiale, accumuler plus tard les échecs professionnels ou amoureux et divorcer comme papa...

Troisième partie

Question d'âges

À chaque instant, il se passe quelque chose dans la famille… Selon leur âge, nos enfants ont des besoins différents. Selon notre histoire, nous répondons avec plus ou moins de liberté intérieure à ces besoins spécifiques.

Certaines étapes de la vie, comme la naissance, deux ans ou l'adolescence, sont particulièrement exposées aux traumatismes et à la réactivation de notre passé. Dans ce chapitre, nous allons parcourir à grandes enjambées ces étapes : du fœtus jusqu'au départ de l'enfant de la maison. Nous ne nous concentrerons sur les besoins des enfants que par rapport aux difficultés que nous pouvons éprouver à y répondre.

Vous ne trouverez pas ici de recette éducative miracle, mais des questions et des ressources pour mieux faire face à ce qui se passe en vous.

À tous les âges, il est utile de parler à d'autres parents. Attention, l'objectif n'est pas de mettre nos enfants en compétition et de vérifier si le nôtre est meilleur ou moins bon, mais de constater que notre insupportable chéri n'est pas le seul de son espèce. Nombre de comportements que les parents ont du mal à supporter parce qu'ils ne les comprennent pas ou parce qu'ils se sentent démunis sont tout simplement liés à leur âge. Même si tous les enfants ne réagissent pas de la même manière, si chacun a son rythme, son histoire et ses besoins propres, il est utile de se souvenir que la plupart des ados se lèvent tard et n'ont goût à rien. Que vous ne vivez pas avec la seule fille de treize ans qui laisse traîner son bol sale dans le salon. Que nombre de bambins de vingt mois piquent des colères tout aussi terribles que celles du vôtre... Parler avec d'autres permet en outre de mesurer que notre attitude éducative n'est pas la seule possible et peut aider à réfléchir.

1. Fœtus et déjà tellement présent !

L e fœtus est une personne. La science et ses techniques
nous dévoilent son intimité. Nous découvrons, fascinés,
que loin d'être un simple amas de cellules en développement, le fœtus manifeste des compétences insoupçonnées. Il
a une vie propre. Dans le ventre de la mère, il suce son
pouce, se caresse le nez, manipule son pénis, explore avec ses
mains, bras, jambes et pieds… Il voit. Il entend. Et, scoop,
il est capable de relation !

Jusqu'à présent la grossesse se déroulait dans un certain
silence relationnel. Si nombre de mères mettaient et mettent
encore spontanément la main sur le ventre, l'haptonomie –
science du toucher élaborée par Franz Veldman – est une
révélation. Prisonniers d'idées reçues et de nos représentations, nous avions oublié le toucher affectif, celui qui se prolonge dans l'autre et permet d'instaurer une vraie relation.
Veldman nous réapprend à toucher affectivement, en fait à
toucher avec le cœur, pas seulement avec les mains. Les
parents posent leurs mains sur le ventre… et entrent en
relation avec l'enfant. Immédiatement, celui-ci répond.
Quelle émotion pour les parents ! Oui, le bébé les entend,
les sent. Il bouge, se tourne, va d'un côté, de l'autre ; il suit
les invitations de ses parents. Oh, il se met à initier un jeu !
C'est lui qui invite ses parents ! Il se montre aussi capable de

signifier qu'il n'a plus envie de « parler ». Il sait déjà exprimer s'il aime être bercé ou préfère rester tranquille. Il est déjà capable de dire ce qui lui convient ou non. À quatre mois de la conception, il existe déjà en tant que personne. L'expérience est bouleversante. Particulièrement pour le papa qui pouvait avoir du mal à sentir ce petit être exister vraiment.

« J'ai l'impression qu'il écoute. » De nombreuses mères en avaient l'intuition, la science nous en apporte les preuves. Quand une maman parle à son fœtus, le rythme cardiaque de ce dernier est modifié. Il ne l'est pas de la même manière quand elle parle à quelqu'un d'autre. Le fœtus perçoit donc que l'on s'adresse à lui. Françoise Dolto, la première, a montré combien il était utile de parler à ce bébé dans son ventre, et pas seulement de bonheur et de petites fleurs, mais aussi de blessures et de douleurs, de deuils et de peurs, de rages et de désespoirs.

Toutes sortes d'événements peuvent venir perturber la quiétude d'une grossesse. Un des parents peut vivre un deuil, la perte d'un travail, une séparation, un accident, un vol, un traumatisme... Pour que le fœtus rétablisse un sentiment de sécurité, en dépit des messages chimiques qu'il reçoit par l'intermédiaire du cordon, il est utile de lui en parler. Vous n'avez pas désiré cet enfant ? C'est un accident ? Vous avez peur ? Vous craignez de n'être pas prête ? Parlez-lui aussi de vos frustrations, de votre colère, de vos peurs. Les dissimuler est inutile, il est dans votre ventre. Même si le placenta fait filtre, les hormones libérées par vos émotions sont présentes dans le sang que vous lui transmettez, il les ressent !

Mettre ainsi des mots sur ses affects peut paraître vain, le cerveau du fœtus n'est pas encore capable de les interpréter. Mais le bébé entend l'intention, vos tensions, et la détente qui suit. À partir du moment où l'enfant perçoit que vous acceptez vos émotions sans peur, qu'elles ne vous chavirent pas, que vous savez à quoi elles correspondent et que vous pouvez les dire… Alors, il n'a plus peur non plus. Il n'a plus besoin de développer des symptômes pour faire entendre sa souffrance. Il y a des chances pour qu'il se montre plus stable, plus calme, plus facile.

Et puis vous ne parlez pas seulement à votre bébé. En lui exprimant ce qui vous préoccupe, vous vous adressez aussi à vous-même. Réprimer invite à un repli sur soi et limite le libre mouvement de l'amour. En nommant vos émotions, vous leur retirez le pouvoir de vous éloigner affectivement de votre enfant.

« Je suis triste, mon bébé, parce que mon père est mort. Tu n'es pour rien dans ma tristesse. Je suis très heureuse de te sentir dans mon ventre. Je suis très heureuse de ta venue. Je me sens frustrée que mon père ne puisse jamais te rencontrer. Je pleure parce que j'aurais aimé te le présenter. »

Ce ne sont pas les émotions qui sont déstabilisantes, mais leur répression ou leur explosion anarchique. Le plus souvent, nous ne savons pas exactement pourquoi nous nous sentons mal. Ou nous croyons savoir pourquoi, et refusons d'analyser plus avant nos sentiments… Peut-être par crainte de découvrir que nous souffrons en réalité pour tout autre chose.

Parler à son fœtus, à son nourrisson comme à son enfant plus grand ne remplace évidemment pas un rendez-vous chez le psychothérapeute. Et il ne s'agit pas de déverser son mal-être sur cette jeune vie. Non, il s'agit juste de lui parler pour partager, pour dire ce qui se passe, pour être moins confus dans sa tête, mettre les choses les unes après les autres. Parler permet de dire notre ambivalence. Nous l'aimons et il nous remue, nous dérange. Nous sommes contents qu'il soit là, mais nous préférerions *parfois* qu'il n'y soit pas… *parfois*… Quand on n'ose pas parler, on oublie ce *parfois*. Ça enfle, ça prend de l'espace et ça a tendance à devenir *toujours*. Quand l'ambivalence ne peut être dite, la souffrance a tendance à prendre toute la place.

« Il me bouffe, il me phagocyte, j'ai dans mon ventre un monstre qui me dévore. » Une mère peut vivre cette impression d'être mangée par ce petit qui grandit en elle. Cela peut aller jusqu'à des fantasmes terrifiants : il me dévore ! Bien évidemment, le fœtus ne dévore pas sa mère, même s'il se nourrit à travers elle et s'il a priorité en cas de manque de nourriture. Mais une maman dont le sentiment d'identité n'est pas très solide, une maman dont la sécurité intérieure est vacillante, qui elle-même n'a pas été vécue comme bienvenue dans le ventre de sa propre mère ou qui a du mal à s'affirmer dans sa vie et à exprimer son potentiel peut projeter sur cette vie qui se développe à l'intérieur d'elle ses fantasmes agressifs. Le fœtus est vécu comme un corps étranger. C'est en partie vrai, il n'est pas assimilable au corps de la mère, il a son propre code génétique… Un corps étranger, donc, qui grandit en soi, tel un cancer. Car il est vécu par certaines comme un cancer. Comme un développement indésirable. Et ce, même si la maman a voulu l'enfant. Certaines ont vraiment du mal avec le fait d'être enceintes. D'un côté, elles sont contentes d'avoir un enfant. De l'autre, elles sont terrorisées par cette croissance à l'intérieur d'elles qui leur échappe. Les causes peuvent être multiples. Ce fantasme était plus répandu jusqu'à il y a une trentaine d'années, quand la naissance d'un enfant signifiait souvent l'enfermement à la maison, une perte de liberté, voire parfois le passage au statut de mère et le deuil de celui d'amante… Il est encore présent chez une femme humiliée, dévalorisée et/ou qui n'arrive pas à se réaliser. Ne réussissant pas à exprimer son potentiel, son agressivité – au sens positif du terme, *aller vers* – est refoulée. Elle ne la retourne pas contre elle-même, mais la projette sur le fœtus. Le processus, inconscient, bien sûr, suit un peu ce cheminement : « Je ne veux pas voir ma colère, je ne suis pas en colère, c'est mon enfant qui est en colère, c'est lui le monstre, ce n'est pas moi, et ce monstre me dévore. »

Pas facile d'aimer un bébé dans ces conditions. Si la future maman arrive à prendre conscience de son ambivalence, de ses fantasmes et à se réapproprier ses projections, elle pourra accueillir son enfant. Sinon, elle aura inconsciemment tendance à continuer après sa naissance à considérer qu'il demande trop, qu'il exagère, qu'il la bouffe, qu'il l'empêche de vivre sa vie comme elle l'aurait entendu. Elle continuera probablement à mettre toujours inconsciemment l'enfant à distance. Elle insistera sur la nécessité de le cadrer, de lui poser des limites, de le dominer... et nettement moins sur celle de l'écouter, de lui permettre de s'exprimer ou de le câliner.

2. L'ACCOUCHEMENT, UNE EXPÉRIENCE EXTRÊME

Q uand les femmes évoquent leurs difficultés à aimer leur enfant, elles évoquent souvent leur accouchement. La naissance est une expérience fabuleuse. C'est la première rencontre entre les parents et leur bébé. C'est un moment de bonheur intense la plupart du temps, mais il arrive qu'il soit entaché d'autres affects. C'est une naissance, c'est aussi un accouchement, avec tout ce que cela comporte de trauma. Douleur, césarienne, forceps : la mise au monde ne ressemble pas forcément à ce dont les parents ont rêvé.

Conjointement à son bonheur, la mère peut éprouver toutes sortes d'émotions dont elle se serait bien passée en cet instant délicat. Il n'est pas rare que l'envahissent une détresse indicible, un sentiment de frustration, voire des émotions de terreur, de fureur... qui la surprennent et la déstabilisent. En effet, dans ce moment si particulier, la mémoire inconsciente de sa propre naissance semble s'activer. Surtout si elle a été difficile. De plus, si elle a subi un viol, même ancien, l'afflux de sang et de stimulations dans le vagin peut réveiller le souvenir de l'abus. Les images peuvent rester inconscientes, mais le vagin se contracte, compliquant le travail. Une femme qui enfante devrait être autorisée à crier, pleurer, elle devrait pouvoir dire que tout n'est pas rose, qu'elle a peur, qu'elle a mal, qu'elle est en colère. Elle devrait être accompagnée dans la libération des émotions qui surgissent. Sinon, elle peut être tellement envahie par ces affects qui la dépassent qu'elle n'est plus entièrement disponible pour accueillir son bébé.

Marie a vécu un accouchement très difficile, douloureux, et angoissant. Son mari était absent. La sage-femme avait été dure, à la limite de l'humiliation. Marie n'a rien osé dire. Quand ils lui ont montré sa petite fille… Elle était contente bien sûr, mais… Il ne lui était pas naturel de la prendre dans les bras. Cette enfant lui donnait une sensation d'étrangeté, de distance… Une distance qui n'était que celle qu'elle avait avec elle-même. Marie devait contenir cet afflux d'émotions en elle. Ne pas craquer. Ne pas sentir. Ne pas pleurer… Son énergie était occupée en quasi-totalité à réprimer, il y avait peu de place pour que l'émotion d'amour se développe vraiment. Elle n'a pas pu, pas osé éclater en sanglots devant son bébé. Elle a embrassé, câliné sa fille, mais son cœur ne s'est pas ouvert. Elle a fait semblant pendant des années. Elle s'est attachée, bien sûr, à cette enfant. Pour rien au monde elle n'aurait voulu qu'il lui arrive quelque chose, mais elle n'éprouve pas cette sensation doucement douloureuse dans la poitrine qui dit « je t'aime ». Marie ose à peine se l'avouer, mais elle se surprend à être bien plus sévère et dure avec sa fille qu'elle ne l'aurait voulu. Elle ne lui passe rien. Elle n'arrive pas à trouver le lien et lui en veut confusément de cela…

Est-ce sa faute ? Doit-on l'accabler en la traitant de mauvaise mère ? Manque-t-elle tout simplement de fibre maternelle ? Non. La répression de ses émotions l'a empêchée d'aimer son nourrisson. Comment éprouver de l'amour quand on est prisonnière d'autres affects, quand on est en colère, frustrée, terrifiée ? Comment laisser monter l'amour quand on se sent jugée par son conjoint, le médecin ou une infirmière ?

Dominique a mis au monde une jolie petite fille. Le père était furibond. Il attendait un garçon. Il a critiqué sa femme tant et plus avant de quitter la clinique dans un accès de rage impuissante. Humiliée, Dominique n'arrivait même pas à être furieuse contre son mari. Elle était si faible, elle avait tant besoin de lui, elle s'est sentie coupable d'avoir donné naissance à une fille. Elle a eu du mal à aimer ce nourrisson qui éloignait son mari. D'autant que cette histoire réactivait son passé. Si elle portait un prénom mixte, ce n'était pas tout à fait par hasard. Elle aussi avait déçu ses parents en étant une fille. Elle a caressé, embrassé, langé, porté, nourri sa fille. Elle a tout fait pour être une bonne mère, mais quelque chose en elle était cassé qui l'empêchait d'éprouver l'émotion d'amour.

Quand l'accouchement ne se passe pas comme elle l'avait anticipé, la mère peut se retourner inconsciemment contre son enfant : « Tu m'as privée du bonheur de mettre au monde par voie basse, tu m'as fait mal, tu as éloigné mon mari, tu m'as blessée… » Bien sûr, rien de tout cela n'est vrai, la mère sait bien que ce n'est pas la faute ni même la responsabilité du bébé. Alors, elle ne dit rien et refoule ses mauvaises pensées… Mais, sourdement, une petite distance s'insinue entre elle et l'enfant. La colère est un mouvement. Laisser ce mouvement libre de s'exprimer permet de le laisser s'accomplir jusqu'au bout. Tandis que, s'il reste interrompu, nous restons en tension, le portons des années durant et lui donnons le pouvoir de nous écarter de l'amour.

Certes, un accouchement harmonieux, rapide, facile, n'est pas une garantie d'amour, mais les processus naturels d'attachement se mettent en place plus facilement. En revanche, si un accouchement difficile complique les choses, il n'empêche évidemment pas d'aimer l'enfant. Lorsque l'accouchement est éprouvant, la maman a besoin d'être accompagnée et soutenue. Il lui faut de l'espace, se sentir en sécurité pour avoir accès à ses émotions, elle a besoin de pouvoir pleurer et tempêter sans être jugée. Elle a besoin de contact physique pour se reconstruire. Il suffit de quelques minutes pour libérer les tensions émotionnelles. Si l'espace n'est pas fait à ces quelques minutes, l'organisme reste en tension. Le cerveau bloque… Et la relation à soi-même et à l'enfant peut être altérée sur des années. Cessons d'avoir peur des larmes !

Et les papas ? Eux aussi vivent une sacrée aventure. Et le déroulement des opérations influe également sur l'attachement à leur nourrisson. Outre leur désir personnel d'implication, l'attitude de leur femme et les événements vont jouer un grand rôle. Certains sont écartés par la mère : « La maternité, c'est mon affaire, je ne veux pas de toi à l'accouchement, pas question que tu mettes les couches… » Tout juste s'ils peuvent tenir le bébé dans les bras. Ce fut le cas de Philippe. Pendant l'accouchement, mais aussi les premières semaines, sa femme Lucille a fait corps avec sa propre mère pour s'occuper du nourrisson. Lui était exclu de ce monde de femmes. Il s'est dit que c'était normal, qu'il s'occuperait de son fils plus grand…

François avoue avoir eu la chance, paradoxalement, que sa femme subisse une césarienne suivie d'une septicémie. Si la maman avait été capable de s'occuper du bébé, il l'aurait laissée faire. Jamais il ne se serait tant impliqué. Là, les circonstances l'ont obligé à prendre sa place. Sa femme ne pouvait même pas se lever de son lit pour prendre leur nouveau-né dans son berceau. François a tissé un lien privilégié avec sa fille dès la naissance. Une qualité de relation qu'il n'aurait pas eue s'il n'avait été contraint de s'occuper d'elle ainsi.

Il est toujours temps de réduire la distance entre soi et son enfant, de restaurer l'intimité par une communication authentique, avec soi-même d'abord, puis avec le bébé.

3. Réparer les relations blessées

Reine adorait sa fille aînée. À la naissance de son second enfant, elle a eu l'impression que ce nouveau bébé survenu un peu trop tôt la séparait d'elle… Et puis elle-même avait tant détesté son frère cadet… Tout cela faisait amalgame dans sa tête. Au début elle disait : « Un garçon ce n'est pas pareil, j'ai plus de mal » puis elle prit conscience de ce qui se tramait en réalité : « Quand j'ai pu dire à mon petit bébé de deux mois à quel point c'était plus difficile pour moi de l'aimer que sa sœur aînée, j'ai vécu une véritable libération, une vague d'amour m'a envahie. Pour la première fois, je me suis sentie vraiment très proche de lui. Les larmes me sont montées aux yeux. Depuis, c'est super. »

Dire ses émotions, même les plus douloureuses, restaure le lien blessé. Le silence est plus blessant que la haine. La haine est une accumulation de sentiments mêlés qui se dénouent sitôt qu'elle est parlée parce que les peurs et les douleurs qui la sous-tendent sont reconnues et acceptées.

4. CES PREMIERS INSTANTS
QUI PERMETTENT L'ATTACHEMENT

L'attachement est physiologique avant d'être psychologique. La mère reconnaît l'odeur corporelle de son bébé dès le deuxième jour, c'est une manifestation de l'attachement qui se met en place. Des expériences[1] ont montré que, lorsque la maman reste en contact avec son bébé posé sur son ventre pendant trente minutes après la naissance, ses compétences en termes de reconnaissance des cris et des odeurs sont nettement améliorées. Si le bébé n'est posé que cinq minutes sur le ventre, situation hélas trop fréquente, les compétences ne retrouvent leur niveau normal que le troisième jour. Quand le bébé n'est pas posé du tout sur le ventre de sa maman, tout n'est pas perdu, mais il faudra cinq jours pour que la mère rejoigne ses compagnes en termes de compétences à reconnaître son enfant. Beaucoup de mamans plongent leur nez dans l'odeur de leur bébé, reniflent le crâne des plus grands.

Sans contact corporel, l'attachement s'élabore plus difficilement. Un faible niveau d'attachement étant corrélé avec le

---

1. Serge Ciccotti, *100 Petites Expériences de psychologie pour mieux comprendre votre bébé*, Dunod.

risque de maltraitance de l'enfant, il est dommage d'infliger des séparations aux mères comme aux bébés. Pourtant, dans de trop nombreuses maternités, il faut se battre pour garder son nourrisson auprès de soi, surtout la première nuit. Le personnel insiste : « Pour que vous puissiez vous reposer ! » Je ne trouve pas très reposant de m'inquiéter toute une nuit de ce que devient mon nouveau-né ! À moins de n'être déjà dépossédées d'elles-mêmes, coupées de leurs émotions, peu de femmes peuvent se reposer en pensant à leur nourrisson sans repères sensoriels pendant cette éternité que représente pour lui une nuit, sa toute première nuit ! Et s'il peut paraître plus confortable à la mère de vivre encore quelques heures comme si elle n'était pas mère, ce n'est pas forcément l'aider. Un accompagnement au tissage de la relation serait plus pertinent.

Les scientifiques[1] ont fait cette constatation : entre le quatrième et le septième jour après la naissance, trois femmes sur quatre voient une baisse de leurs capacités de reconnaissance des odeurs de leur nourrisson ! C'est aussi la date de démarrage du « baby blues »[2]. Y aurait-il une relation ? Les mamans ne reconnaissent plus ni les odeurs, ni les cris de leur bébé. Elles sont angoissées, craignent de ne pas savoir faire, ont le sentiment de ne pas être capables… Et pour-

---

1. *Ibid.*
2. Les chercheurs estiment que 50 à 80 % des nouvelles mamans ressentent les symptômes du « baby blues ». Cet état de dépression ne dure, en moyenne, que deux à trois jours et disparaît de façon spontanée. Les symptômes principaux sont les troubles du sommeil (insomnie), troubles de l'appétit (anorexie), crises de larmes, changements d'humeur, irritabilité, pertes de mémoire, difficultés à se concentrer, sentiments d'incompétence et de culpabilité, fatigue. Plus sévère que le « baby blues », la dépression post partum affecte une femme sur six.

tant c'est à ce moment-là qu'elles sortent de l'hôpital et se retrouvent seules à la maison avec leur tout-petit qui leur paraît étranger ! Tout le monde leur dit : « Ne t'inquiète pas. Tu verras, ça ira, mais si, tu sauras y faire ! » Personne ne leur a jamais dit qu'il était naturel que leurs sensations soient modifiées à cette période. Si la sécurité intérieure globale de la femme est suffisante, si elle est correctement entourée, elle traversera cette passe sans dommage. Si elle manque de sécurité, de confiance en elle, si, par ailleurs, elle manque de soutien et/ou a derrière elle une histoire douloureuse, elle peut se dévaloriser. Constatant son incapacité, elle se jugera, se culpabilisera... et risquera d'en vouloir à son nourrisson de lui faire vivre cela ! C'est un phénomène courant que d'attribuer à autrui la cause de nos souffrances. Nous l'avons déjà rencontré. C'est la projection. Ce n'est pas moi qui ai des difficultés à comprendre mon enfant, c'est lui qui est « difficile ». Certaines femmes projettent la totalité de leur responsabilité sur le nourrisson et construisent une image négative de leur enfant, qu'elles doivent maintenir à tout prix, de crainte de voir leur sentiment de culpabilité resurgir. D'autres oscillent entre sentiment de culpabilité, dévalorisation et attribution du problème à l'autre. Il est important de comprendre que, d'une part, le mécanisme est inconscient – les femmes ne projettent évidemment pas consciemment sur leur enfant – et que, d'autre part, elles souffrent de ne pas réussir à aimer. La dynamique inconsciente les enferme dans un cercle vicieux dont elles ne trouvent pas la sortie.

Il est urgent de permettre aux jeunes mères de parler aussi de leurs difficultés à aimer, de leurs inquiétudes et de leurs angoisses. Chercher, comme on le fait trop souvent, à les rassurer sur leurs compétences : « Ne t'inquiète pas comme ça. Tu es une bonne mère », non seulement ne les soulage pas, mais les invite à se taire, à garder pour elles et donc à retourner contre elles leurs angoisses. Nos réassurances ne font que les insécuriser et les culpabiliser davantage. Tandis que l'écoute respectueuse de leurs émotions les aidera à retrouver le contact avec elles-mêmes et par suite avec leur enfant.

5. Des mots qui stoppent le lait

Béatrice désirait allaiter son enfant. Son mari lui a assené : « Tu ne sais pas tenir un bébé, tu ne pourras pas t'en occuper ! » Sur l'instant, fragilisée par l'accouchement, elle a laissé pénétrer en elle les mots de son mari et a perdu toute confiance en sa capacité maternelle. Elle n'a pas eu de montée de lait, ce qui a confirmé les dires de son mari. Quand on sait combien la montée de lait dépend de l'état émotionnel de la maman, on mesure l'impact de cette phrase assassine. Entre la maman et son bébé, il y avait désormais « Je ne sais pas tenir mon enfant. » / « Je ne sais pas m'en occuper ».

Qu'a pu ressentir son bébé ? Une grande insécurité. Il a dû trouver sa maman « froide ». Pourtant, ce n'est pas ce que cette dernière vivait. Elle aurait voulu être plus proche de son nourrisson, mais sa blessure l'a contrainte à poser une distance. Hélas, personne ne s'est assis auprès de cette maman pour lui dire : « Pleurez un bon coup et détendez-vous... Puis mettez votre bébé au sein en lui parlant tendrement, vous allez voir, votre lait va monter. » Personne ne lui a fait un massage ne serait-ce que des mains pour l'aider à se détendre et permettre au lait de venir.

Cécile raconte : « Le jour où j'ai accouché, ma mère m'a dit devant les pleurs de son premier petit-fils qui nous bouleversaient toutes deux : "Tu seras comme moi, tu n'auras pas de lait". C'est ce qu'on lui avait répété à ma naissance tout en lui bandant les seins pour en entraver la montée. En 1960, la mode, soutenue par la science, était au biberon. La méconnaissance a des conséquences dommageables, elle aurait aimé et aurait pu allaiter »[1]. Heureusement, Cécile a rencontré la *Leche League*[2], une association de femmes qui a su l'écouter, l'informer et la soutenir dans l'allaitement. Il ne faut pas méconnaître le poids des mots. Cette phrase aurait pu résonner comme une malédiction. Comment oser remettre en cause sa propre mère ?

Quand une jeune maman a peur de ne pas être à la hauteur, quand elle va mal, est humiliée, dépressive, quand elle n'est pas disponible pour son bébé à l'intérieur d'elle, ce dernier le perçoit. Que ce soit en raison de tensions liées à sa vie personnelle ou d'événements extérieurs qui la préoccupent (troubles sociaux, guerres...), le nourrisson le sent : elle n'est pas là pour lui. Il manque de place pour s'installer dans son corps, construire son sentiment de sécurité intérieure. C'est comme si la porte du cœur de maman était fermée ! Comme les pleurs sont l'outil que la nature lui a donné pour restaurer le lien, il pleure ! Il se colle à sa maman, reste dépendant d'elle, il a sans cesse besoin de réassurance. La maman, déjà épuisée, doit donner encore plus. Chaque fois que le bébé pleure, cela réactive ses sentiments d'impuissance. Elle se sent de plus en plus nulle, incapable et mauvaise mère. Alors que, ce dont elle aurait besoin, c'est seulement de pouvoir exprimer sa fureur contre les mots qui lui ont fait mal, avoir le droit de s'insurger contre les imprécations et autres dévalorisations dont elle a été l'objet.

---

1. Revue *L'Enfant et la vie,* www.lenfantetlavie.fr.
2. Leche League Internationale, LLL.

Les mots blessent aussi les messieurs. Les petites phrases critiques ou dévalorisantes de leur femme ont un impact bien plus grand que ces dernières n'aiment à le reconnaître.

– Fais attention, tu le tiens mal !

– Tu ne sauras jamais préparer un biberon correctement.

– Mais non, ce n'est pas comme ça…

Quand *elle* a toujours un mot à dire sur ce qu'*il* fait et comment *il* le fait, l'homme se sent incapable. Il abdique en faveur de la « professionnelle » au détriment de sa relation avec son enfant. Sa femme ne manquera pas de lui reprocher sa désertion sans vouloir prendre conscience de sa part de responsabilité dans cette affaire.

6. LES PLEURS DU NOURRISSON

« N e pleure pas ! » Quel parent n'a prononcé ces mots. Et pourtant, pourquoi n'aurait-il pas le droit de pleurer, ce bébé ? Les pleurs de nos tout-petits nous remuent jusqu'au tréfonds de nous. Ils nous bouleversent tant que nous nous évertuons à les faire taire par tous les moyens. Que nous les interprétions comme des caprices ou comme l'expression d'une intolérable souffrance, l'effet reste le même : les pleurs nous sont insupportables.

Une étude scientifique franco-italienne a montré que l'amour agit comme un opiacé[1]. Les opiacés soulagent la douleur. Des bébés souris dépourvus du gène sensible aux opiacés ont de graves difficultés à créer un lien avec leur mère. Les chercheurs ont observé notamment que les pleurs en cas de séparation étaient fortement diminués. Ces pleurs d'appel à l'aide sont essentiels à la formation de l'attachement mère-enfant.

Les pleurs sont essentiels à la survie ! Ils participent d'une attitude d'attachement qui entretient la proximité entre la mère et son enfant, explique Francesca d'Amato, chercheuse à l'Institut de neurosciences du CNR, à Rome. Elle le mon-

---

1. *Bulletin électronique Italie*, numéro 25, du 6/09/2004, rédigé par l'ambassade de France en Italie.

tre dans ses travaux : les composants chimiques qui régulent la douleur physique sont aussi ceux qui contrôlent la souffrance psychologique due au manque et à la séparation.

Quand un bébé a tété, est propre, n'a ni trop chaud ni trop froid, et pleure dans son berceau, certains parents interprètent ses cris comme des tentatives de contrôle et de manipulation. « Il veut qu'on le prenne dans les bras ! », disent-ils comme si c'était incongru. Bien sûr qu'il cherche à être porté ! C'est physiologique ! C'est inscrit biologiquement dans ses gènes : en cas de séparation, il pleure pour appeler maman, pour ne pas être abandonné. Il pleure pour survivre.

Une expérience[1] portant sur les quarante-cinq minutes suivant la naissance a mesuré la quantité de pleurs de l'enfant selon qu'il était posé et laissé tout le temps sur le ventre de la mère, posé dans un berceau puis sur le ventre et enfin dans un berceau toute la durée des quarante-cinq minutes. Les résultats sont clairs : un enfant sur le ventre de sa mère ne pleure pas. Lorsque l'enfant est posé dans un berceau puis sur le ventre, il pleure tout le temps qu'il est dans le berceau et s'arrête dès qu'il est en contact avec la peau maternelle. Dans la dernière situation, il pleure trente minutes sur les quarante-cinq !

Dans de nombreuses sociétés, on ne laisse pas pleurer les enfants. Les femmes sont souvent effarées de voir comment nous traitons nos petits en Europe. Leurs bébés sont portés en permanence, sur le dos, sur la hanche. Ils sont portés par leur maman ou par une tante, un frère, une sœur.

« Il faut le laisser pleurer un peu, ne pas répondre tout de suite », disent certains. Qu'en est-il réellement ? Que dit la

---

1. Busnel, Marie-Claire, et Herbinet, Étienne, *L'Aube des sens,* Stock.

science ? Les résultats sont sans ambiguïté : si sa mère répond dans les quatre-vingt-dix secondes après que le bébé a commencé à pleurer, il se calme en cinq secondes. Au-delà de trois minutes, le bébé met cinquante secondes à se calmer. Quand on multiplie par deux le temps d'intervention, on multiplie par dix la durée des pleurs.

Plus la mère attend avant d'intervenir, plus il lui est difficile d'aider son tout-petit à réorganiser ses émotions. Les pleurs des bébés sont très éprouvants pour les mamans, il serait temps de changer de croyances et d'inciter les mères à répondre à leurs petits au plus vite.

Pour autant, s'il est important de répondre aux pleurs de demande, il est d'autres pleurs qu'il s'agit non pas de calmer, mais d'entendre : ce sont les pleurs de soulagement. De la même façon que nous, les adultes, pleurons pour expulser une souffrance et que nous nous sentons mieux et libérés après, le petit bébé pleure parfois pour se débarrasser d'une émotion restée en tension en lui. Lui aussi se soulage d'un poids par les pleurs.

Est-ce que le parent peut entendre les larmes de son bébé quand il pleure sa naissance difficile ? Quand il pleure d'avoir été laissé chez la nounou ? Quand il pleure une dispute entre ses parents ? Quand il pleure son jumeau disparu pendant la gestation ?

Écouter les pleurs est difficile. Le parent se sent démuni, impuissant. Son seul pouvoir, et il est immense, est de rester là, stable, solide, aimant et de donner au nourrisson l'espace pour libérer ses terreurs et ses rages.

– Pleure, mon bébé. Pleure, je suis là. Raconte-moi à quel point c'était dur. Tu peux me confier tes peurs et tes colères. Pleure, bébé !

Pas facile d'avoir cette sérénité quand nos propres pleurs d'enfant n'ont pas été entendus. Les cris de notre bébé réveillent le souvenir des nôtres et le désespoir qui y était associé. Nous projetons alors sur l'enfant nos propres blessures, interprétons ses hurlements comme l'expression d'un désespoir absolu (le nôtre). Ce n'est pas forcément le vécu de notre bébé. Mais c'est parfois si intolérable qu'il nous faut stopper cris et larmes au plus vite… Nous avons l'illusion de faire cesser sa douleur… En réalité, nous l'empêchons juste de s'en soulager. C'est notre propre souffrance que nous refusons d'entendre.

Les pleurs irrépressibles des bébés sont des déclencheurs privilégiés de violence. « Tu vas te taire, à la fin ? » Les parents finissent par secouer, frapper… Ce ne sont pas de « mauvais parents ». Ils ne maltraitent pas par plaisir, mais mus par une irrépressible impulsion visant à faire stopper les hurlements, tant à l'extérieur qu'à l'intérieur d'eux. Une fois le geste posé, la culpabilité est là, et si le parent n'ose pas pleurer sa propre détresse, la relation peut en être entachée des années durant.

Accueillir les décharges émotionnelles de son bébé n'est pas facile. Tout parent a besoin de soutien pour y arriver, et aussi, quand c'est trop douloureux, de faire un retour sur son propre passé.

7. DORMIR COMME UN BÉBÉ…

80 % des consultations de pédiatrie concernent les problèmes de sommeil chez les enfants entre zéro et trois ans. Pourtant, nombre de pédiatres continuent de proclamer qu'un bébé normal fait ses nuits à trois mois. Cherchez l'erreur…

J'ai vite compris d'où leur venait cette conviction quand j'ai eu mon premier enfant. Stupéfaite par l'attitude culpabilisante des pédiatres que je consultais, j'ai évoqué la question avec d'autres mères. Dès le quatrième mois, les sous-entendus commencent. Au bout d'un certain temps, il devient fastidieux, voire insupportable, de sortir de chez un médecin avec le sentiment d'être une mère inapte, incapable, qui a un problème de fusion avec son enfant ou je ne sais quoi ! Alors, de crainte de se faire culpabiliser en avouant qu'elles prennent leur petit dans leur lit ou qu'il se réveille encore deux ou trois fois dans la nuit, elles n'en pipent plus mot : « Il dort comme un ange docteur ! » Une fois, j'ai hélas suivi le mauvais conseil d'une soi-disant pédopsychiatre[1], j'ai laissé pleurer ma fille pendant quarante minutes sans lui donner sa tétée du soir. Je m'en veux encore.

---

1. Elle n'en avait que les diplômes.

Ensuite, face au médecin, j'ai fait comme les autres mamans, je n'ai plus rien dit ! Comme ces « experts » avaient tout de même réussi à insinuer le doute dans mon esprit, je suis allé consulter une psychanalyste pour les « problèmes de sommeil » soulevés par la pédopsychiatre. J'ai heureusement rencontré Etty Buzyn[1], qui seule a remarqué que ma fille parlait déjà extrêmement bien et se montrait très autonome par rapport à moi. Elle regardait l'enfant dans sa globalité et dans sa réalité d'aujourd'hui et non en fonction de livres écrits il y a trente ans. « Le sommeil ? Installez un matelas près de votre lit ! », m'a-t-elle dit. C'était déjà fait, mais je pouvais enfin en parler en toute liberté.

Parmi les pédiatres écrivains, Terry Brazelton est un des seuls à oser annoncer aux parents qu'ils ne pourront vraiment dormir que lorsque le chérubin atteindra l'âge de trois ans ! Bien que, pour Jeannette Bouton, ce soit l'époque des difficultés d'endormissement et des cauchemars…

C'est physiologique, les tout-petits passent par une phase de sommeil plus léger toutes les deux heures, ils explorent leur environnement… et si l'odeur familière n'est plus là, s'ils ne trouvent pas leur doudou, si le nounours est tombé, s'ils ne sentent plus les limites rassurantes de leur lit parce qu'ils ont bougé… ils s'éveillent et pleurent. Il suffit souvent de leur caresser la tête, poser doucement la main sur leur dos, leur mettre leur jouet favori dans la main ou de les recouvrir du drap tombé pour qu'ils reconstituent les limites nécessaires de nidation « intimité-confort », le tout sans parler, sans allumer la lumière.

---

1. Psychanalyste proche de Françoise Dolto, auteure de *Papa, maman, laissez-moi le temps de rêver* et de *Me débrouiller, oui mais pas tout seul,* chez Albin Michel.

Les problèmes de sommeil n'existent apparemment que dans le monde occidental. En fait, partout ailleurs, les mères dorment avec leur enfant et l'allaitent au sein. Quand il bouge, elles passent une main sur lui sans même se réveiller. Il est rassuré, il continue de dormir.

Dormir avec son enfant est vraiment réconfortant sinon reposant. Et puis la nature est bien faite, depuis le début de la grossesse, l'horloge interne de la mère se synchronise sur celle du bébé, son sommeil se rapproche peu à peu de celui de son enfant. Lors de la naissance (à terme), ses cycles de sommeil sont synchrones avec ceux de l'enfant, son cerveau produit quatre heures de REM[1] pour huit heures de sommeil. Cette grande quantité de rêve perdure tout au long de l'allaitement. Si la mère n'allaite pas au sein, son sommeil reprend son rythme habituel trois semaines après l'accouchement ! Du fait de la baisse de prolactine, elle n'est plus équipée physiologiquement pour se réveiller la nuit au rythme du bébé. Avantage, le papa peut lui aussi se lever. Inconvénient : les deux sont bientôt épuisés parce que le papa n'est bien sûr pas non plus sous prolactine. Et des parents épuisés sont plus réactifs, moins attentifs aux besoins du bébé... L'épuisement physique mène naturellement au détachement. Ce n'est pas que les parents ne voudraient pas aimer leur enfant... ils s'en détachent pour se protéger. Les difficultés de sommeil d'un tout-petit peuvent mener ses parents à se détacher affectivement. Détachement plus exaspération, si les parents ne reçoivent pas de soutien, le risque de maltraitance existe. Lorsque le bébé dort peu ou mal, il est utile de multiplier caresses, câlins, massages, jeux... L'émotion d'amour rétablit le lien.

---

1. *Rapid eye movements* : les mouvements oculaires rapides pendant le sommeil caractérisent les phases de rêve.

8. UN AN

Un an, c'est l'acquisition de la marche, les premiers mots. Moment de pur bonheur pour les uns, d'inquiétude pour d'autres. Quand l'enfant marche, il se déplace par lui-même. Bien sûr, avant, il rampait et avait déjà une certaine autonomie, mais il n'allait jamais bien loin, surtout dehors. La marche lui ouvre un nouvel espace. Qu'est-ce qui se passe pour le parent ? Certains sont soulagés par cette prise d'autonomie, d'autres paniquent : « Il va tomber. » Ils installent des barrières, sécurisent l'espace, d'autres ne le supportent tout simplement pas et invitent inconsciemment leur petit à rester petit.

Une petite fille toute ronde de dix-huit mois au square pleure à chaudes larmes. Elle demande les bras. Sa mère refuse de la porter. Elle se plaint : « Dix-huit mois et elle ne marche toujours pas, c'est vraiment une flemmarde ! Elle ne veut que les bras. Pourtant je ne cède pas. Et même quand c'est la nourrice qui la garde, elle a pour mission de ne jamais la prendre. Les enfants, il ne faut pas qu'ils s'habituent à être portés. Depuis qu'elle est bébé, je la porte le moins possible. »

J'étais stupéfaite. En apparence, cette maman cherchait à ce que sa fille prenne le maximum d'autonomie. Elle ne voulait l'assister en aucune façon, ne pas faire d'elle un enfant passif... et pourtant, c'est exactement ce qu'elle faisait.

Les bébés portés ont davantage l'occasion de nourrir d'informations leur sens de l'équilibre. Bercés par les mouvements du parent qui les porte, ils exercent leur oreille interne. Plus les bébés sont portés, plus tôt ils marchent. Il est possible que cette maman ne l'ait pas su. Mais le décalage entre ses attentes et le résultat était si grand qu'il interpellait. Elle adressait deux messages à sa fille. Le verbal : sois grande et débrouille-toi toute seule. Et l'inconscient : je ne veux rien te donner, reste dépendante de moi.

En ne donnant pas à sa fille le portage dont elle avait besoin, en ne répondant pas à ses appels, d'une part elle la maintenait en dépendance d'elle, mais de plus elle pouvait l'humilier, la dévaloriser, la haïr. Elle avait une bonne raison, sa fille était vraiment un poids aux sens propre et figuré. Elle « ne bougeait pas ses fesses » et n'était donc pas digne de l'intérêt de sa mère.

Quand l'enfant commence à marcher, on voit déjà comment les parents réagissent à ce petit pas pour nous et ce pas de géant pour lui vers l'autonomie.

9. DE DIX-HUIT MOIS À TROIS ANS

Dix-huit mois, c'est l'âge de l'opposition, des non systématiques, des refus... C'est l'âge où les enfants montrent qu'ils ont leur « petit caractère ». C'est tout au moins le langage des parents qui supportent mal que l'enfant s'exprime. En effet, comment accepter cette opposition qui semble permanente quand nous-mêmes au même âge n'avons pas eu le droit de la manifester ?

Avant dix-huit mois, le petit enfant est encore dans le prolongement du désir de ses parents. Il a peu d'autonomie et s'il sait cracher quand un goût lui déplaît et crier quand il désire sortir de sa poussette, il se préoccupe rarement de la couleur de ses vêtements, de savoir s'il veut donner à manger aux canards ou rentrer à la maison. Il laisse ses parents choisir pour lui. Dans sa deuxième année, le petit commence à prendre conscience de lui-même, il veut faire ses propres choix, devenir une personne. Pour cela, il doit s'opposer à maman. Pour sortir de la dépendance, il doit passer par la contre-dépendance. Sinon, il ne peut jamais savoir s'il mange sa purée parce que c'est lui qui veut la manger ou s'il ne la mange que parce que maman le désire. Un enfant dont on ne respecte pas les refus ou que l'on punit – « Tu en veux maintenant ? Eh bien, tu n'en auras pas, ça t'apprendra à refuser ! » – aura du mal à construire la confiance en son désir propre. Il aura tendance à se couler dans le désir de sa mère. Devenu parent à son tour, l'enfant qui n'aura pas pu affirmer ses choix aura bien du mal à accepter que son enfant les affirme.

Une maman (ou un papa) à qui son tout-petit dit non et refuse son assiette peut se sentir mal, très mal, parce qu'elle en déduit (certes abusivement) qu'elle est une mauvaise mère. S'il mange ce que je fais, c'est parce que c'est bon. Si ce que je fais est bon, c'est donc que je suis une bonne mère. S'il ne le mange pas, c'est que ce n'est pas bon, donc je suis une mauvaise mère puisque je cuisine quelque chose qui n'est pas bon. Parfois d'ailleurs, pour couronner le tout, et comme pour souligner ce que pense déjà sa maman d'elle-même, le bambin la traitera de « méchante ! ». Le raisonnement n'est pas élaboré consciemment, mais la plupart des mères n'ont guère de difficultés à en prendre conscience. Il mange = je suis une bonne mère. Il ne mange pas = je suis mauvaise. L'association leur paraît limpide. Comme elles ne veulent pas être de mauvaises mères, il faut donc que bébé mange !

D'autres ne supportent pas de ne pas avoir le contrôle. Ils/elles ne l'ont pas eu enfant. Leur parent ne les a pas laissés dire non et a choisi pour eux de manière autoritaire. Ils/elles ont besoin d'asseoir leur pouvoir sur l'enfant pour ne pas laisser monter en eux l'angoisse, c'est-à-dire ce paquet d'émotions refoulées depuis leur petite enfance, leur colère contre leur propre maman, leur humiliation, leur désespoir de ne pas avoir le droit d'exister en tant que personne… Ils/elles répètent le comportement de leurs parents.

Deux ans, c'est l'âge où l'on apprend à savoir ce que l'on veut et à faire des demandes.

« Si tu continues de réclamer, je ne t'en donne pas », lance une mère à sa fille. Ce sont des mots qu'elle a tant entendus. Pourtant, depuis sa naissance, elle est très attentive aux besoins de sa fille. Elle a tout fait pour lui donner confiance en elle… La petite Zoé avait senti en elle surgir une envie, elle la formulait bien naturellement… Sa maman lui dit pourtant qu'il faut demander… Alors, il faut demander, mais pas réclamer ? Comment faire la différence ? En fait, il semblait que la différence n'existait qu'aux yeux de sa maman. Si elle était prête à donner, elle estimait qu'il s'agissait d'une demande, si elle n'était pas prête à donner, elle jugeait que Zoé réclamait.

Deux ans, c'est aussi l'âge égoïste. Comme vous savez que Morgane refuse de prêter son seau au square, prévoyante, vous en prenez deux. Une fois installées dans le bac à sable, lorsqu'un petit s'approche, vous sortez le deuxième seau pour lui permettre de jouer avec Morgane sans obliger cette dernière à prêter… Peine perdue : Morgane se précipite sur le second seau, le serre dans ses bras. Elle tient les deux seaux, ne peut plus jouer, mais ne veut pas en lâcher un seul ! « C'est mon seau. » Comment réagissait votre propre maman ? Si vous avez été humiliée, forcée de prêter, traitée d'égoïste, il y a de grandes chances pour que vous fassiez pareil avec Morgane. Or, à cet âge, tous les enfants traversent cette phase de construction du moi qui nécessite de ne laisser personne – pas même vous – empiéter sur son territoire. L'enjeu est d'identifier les contours de son identité, c'est-à-dire de ce qui est moi et non-moi, ce qui est à moi, c'est mon territoire, c'est mon identité, c'est moi…

Quand le parent ne comprend pas l'enjeu d'un comportement, il a tendance à le juger. Et comment en connaître l'enjeu quand on a été contraint de refouler ?

« Je veux être sur le vélo, moi aussi ! »

Il n'y a qu'un vélo pour deux. Les enfants ont accepté de jouer le vélo à pic et pic et colégram… Iris a perdu. Mais à trois ans, même si elle s'y était engagée, elle est mécontente d'avoir perdu. Il est naturel qu'elle exprime sa rage. Nous aimerions que tout se passe sans heurts, sans pleurs, nous aimerions qu'elle se comporte en « grande fille », c'est-à-dire en fait en adulte. Mais non. Elle n'a que trois ans. Elle pleure, elle tempête.

Si le parent n'a pas fait de retour sur son passé, s'il a encore des rages refoulées, il risque de mal vivre les émotions de sa fille. Surtout quand, en plus, ça se passe en public.

Il suffirait pourtant de tenir l'enfant dans les bras et lui permettre de pleurer, accepter d'entendre sa frustration : « Ça donne envie de hurler de ne pas avoir ce qu'on veut ! Je sais combien c'est dur pour toi, tu as le droit de crier de rage, de pleurer… Moi aussi un jour, j'avais envie d'un jouet et c'est un autre qui l'a eu… J'ai trouvé que c'était pas juste, je ne voulais pas, mais c'était comme ça et j'avais envie de hurler, alors je te comprends… »

Incroyable mais vrai, l'enfant se sent compris, il hoquette encore quelques fois puis se calme.

La troisième année, c'est l'âge du « tout seul ». L'enfant veut faire « tout seul » sous peine de piquer d'énormes colères, tout, même ce qu'il se sait encore incapable de faire… Sa maman, souvent, ne comprend pas. Elle ne cherchait qu'à l'aider ! La transition est rapide entre ce moment où le petit râle parce qu'on ne lui fait pas assez vite ce qu'il veut et celui où, ayant pris le pli, nous faisons trop vite à sa place.

Certaines mamans qui ont particulièrement besoin de se réparer de leurs sentiments profonds d'inutilité se sentent rejetées quand l'enfant revendique ainsi son autonomie. Quand elles font pour l'enfant, elles se sentent utiles. Si elles ne peuvent plus faire pour lui, c'est dur. Parfois elles plongent dans la dépression, se sentent coupables, s'en veulent. Parfois elles entrent en conflit avec l'enfant, elles tentent de « le remettre à sa place », c'est-à-dire en fait de le remettre à une place de tout-petit dont elles peuvent s'occuper. Elles continuent de choisir les vêtements le matin, d'habiller l'enfant, de lui tailler son crayon, de lui écaler son œuf dur, déclenchant au mieux de grandes colères, au pire la soumission de l'enfant. Le petit en effet peut abdiquer son autonomie devant les besoins de réassurance de sa maman.

Parfois tout rentre dans l'ordre au bout de quelques années. Après avoir bataillé pour conserver sa place, la mère lâche et permet à son enfant de grandir, elle-même se repositionne.

Il arrive que le problème s'aggrave. Une femme dont le travail de mère remplit la vie peut ne pas être prête à lâcher ce rôle. Elle couve ses petits sans prendre conscience que ces derniers ne sont plus des nourrissons. Certains enfants s'en amusent et s'échappent, d'autres fuient au loin, d'autres encore se sacrifient et restent parfois leur vie durant auprès de maman.

Le juste milieu, le juste dosage entre protection et liberté n'est pas simple à trouver tant il nécessite de réajustements au fur et à mesure de la croissance de l'enfant. Ces réajustements sont difficiles quand trop de blessures ou de frustrations ont ponctué notre propre enfance.

10. DE QUATRE ANS À DOUZE ANS

De quatre à douze ans, l'enfant se construit beaucoup par imitation, dans le jeu, l'exercice de ses compétences et dans la relation. Il joue aux billes et à la marchande, au Monopoly et à la dînette… Il apprend à lire, à écrire, à mettre le couvert, prendre sa douche, se faire des amis… Il découvre le monde, la socialisation, l'école, les autres. Ses intelligences se développent. Intelligence logico-mathématique et verbale plus particulièrement à l'école, intelligence spatiale avec ses cubes, intelligence kinesthésique au judo ou au tennis, intelligence musicale, intelligence relationnelle avec ses copains, intelligence émotionnelle avec ses parents. Chaque enfant est différent et vit dans un environnement qui lui permet plus ou moins de se développer harmonieusement. Il peut aussi traverser des épreuves, perdre son grand-père, vivre un déménagement, être bouc émissaire à l'école. Certes, nous ne sommes pas toujours armés pour accompagner nos enfants et notre propre intelligence émotionnelle n'est pas toujours très musclée, mais la manière dont nous avons nous-même traversé ces années va être déterminante sur notre attitude parentale.

Nous avons à nous montrer particulièrement vigilants envers ce qui a été blessant ou inachevé pour nous. Face au reste, nous aurons de manière générale une approche plus sereine. Si nous avons eu nous-mêmes, par exemple, des difficultés scolaires, il est vraisemblable que les notes seront un sujet sensible à la maison. Et ce, d'autant que nous n'en aurons pas conscience ou pas le souvenir. Ce qui reste inconscient demeure porteur d'émotions. En revanche, de manière générale, ce dont nous nous souvenons clairement aura moins tendance à envahir le présent.

D'autre part, il semblerait qu'existe un phénomène de répétition. Si nous avons subi un traumatisme à six ans, par exemple, il est probable que, lorsqu'un de nos enfants aura six ans, il se passera quelque chose. Le traumatisme en question peut être un deuil, un acte qui nous a plongés dans la honte, une humiliation vécue dans la famille ou à l'école, le divorce mal vécu de nos parents, un accident de voiture… Au même âge, notre enfant va manifester quelque chose. Ses notes vont chuter ou son comportement va se modifier, il peut devenir agressif…, autant de symptômes d'insécurité. En réalité, il réagit à la modification inconsciente de notre regard sur lui. Dès que nous repérons cette émergence de notre propre histoire, que nous nous réapproprions nos peurs, colères, tristesses, douleur, tout rentre dans l'ordre.

Il arrive donc que nous soyons mal à l'aise avec un âge spécifique. Il arrive aussi que nous ayons du mal avec certains comportements. Nombre de parents ont du mal à jouer avec leur enfant. Leurs propres parents n'ont pas joué avec eux, et s'ils s'installaient face à la poupée ou au garage miniature… Leur immense solitude d'enfant risquerait de resurgir. Ils disent s'ennuyer, s'énervent facilement, cherchent à fuir… L'ennui est un symptôme de la répression d'émotions anciennes et reflète la difficulté à l'intimité.

Les gestes de tendresse sont tout naturels pour certains parents. Ils sont compliqués et chargés pour d'autres. Faire des compliments à ses enfants, leur dire qu'on les aime, qu'ils sont beaux, être fiers d'eux et le leur dire, quoi de plus naturel ? Eh bien, pas pour tout le monde. Quand on a du mal à se sentir à sa place, quand on n'a pas été regardé enfant, quand on n'a pas été accueilli, écouté, considéré, on peut avoir bien du mal à donner tout cela à ses propres enfants. Pis, on peut avoir tendance à remplacer tout compliment par une critique, une dévalorisation.

Édith ne peut s'empêcher de dire régulièrement à sa fille « Pour qui tu te prends ? » ou de la rabaisser : « Oh, là, tu n'es pas une princesse ! » Savez-vous donner à votre enfant le sentiment d'être important ? ou comme Édith, avez-vous tendance à l'humilier chaque fois qu'il ose exister ?

Nos mots sont ceux que nos parents ont prononcés à notre égard, ou peut-être d'autres personnes importantes, comme les frères et sœurs, soit des mots dont nous nous sommes nous-mêmes affublés lorsque nous étions enfants parce que quelque chose dans notre environnement ne nous donnait pas l'autorisation de nous sentir fiers et importants. Julien n'a jamais entendu qu'il était nul… mais il le dit si souvent à son fils assorti de remarques comme : « Tu n'es pas le centre du monde »… Que s'est-il donc passé pour lui dans sa propre enfance ? Il a eu un petit frère ! Et sa mère s'occupant prioritairement du nourrisson, il en avait déduit que lui était sans importance. Il avait souvent détesté ce petit frère qui était, à sa place, devenu le centre du monde de sa maman.

De quatre à douze ans, c'est aussi une tranche d'âge où nous cherchons plus ou moins consciemment à façonner nos petits à notre image et leur demandons de réaliser nos rêves. Nous les inscrivons au foot, à la danse ou au piano parce que nous avons aimé y jouer ou parce que cela nous était interdit. Ils doivent réussir là où nous avons réussi et réussir là où nous avons échoué. Et là encore, c'est d'autant plus fort que c'est inconscient... L'intensité de nos réactions peut nous mettre la puce à l'oreille.

11. L'ADOLESCENCE

Delphine a adoré mettre au monde ses enfants, s'en occuper, jouer avec eux, leur faire des gâteaux. Mais depuis qu'ils sont adolescents, ça se gâte. Elle crie beaucoup, pour un rien, elle ne se reconnaît pas. Elle est particulièrement tendue avec son aînée de quinze ans. Elle se surprend à pénétrer dans la chambre de sa fille sans y avoir été invitée, et même à inspecter sa boîte mail. Elles se disputent sans cesse.

Lorsque j'invite Delphine à me parler de ses quinze ans à elle, elle éclate en sanglots. C'est à cet âge qu'elle a subi des attouchements de la part d'un ami de la famille. Soudain, tout prend sens. Delphine découvrait l'évidence de l'impact de cette mémoire sur sa relation à sa fille. Plus sa fille grandissait, plus elle était tendue. Sans savoir pourquoi, elle avait commencé à regarder sa fille avec des yeux inquisiteurs. Elle se justifiait à ses propres yeux en arguant des risques inhérents à la puberté... Mais tout de même, ses réactions étaient excessives. Elle était si intrusive... Intrusive ? Le lien lui a sauté aux yeux.

Elle regardait désormais ses incursions dans l'intimité de sa fille avec un autre œil. Bien inconsciemment, elle répétait ce qu'elle avait subi. Quand cela lui était arrivé, elle n'avait rien osé dire. Elle avait porté la faute comme si c'était la sienne. Elle s'était sentie sale et coupable. De ce jour, elle avait cessé de porter des jupes et de se maquiller. Elle ne voulait plus attirer les garçons. Quand elle voyait sa fille commencer à avoir des comportements de séduction, l'émotion était trop forte. Pour maintenir le couvercle sur ses souvenirs, il lui fallait stopper sa fille. Une partie d'elle aurait volontiers exigé que l'adolescente ne sorte qu'en pantalon. Et pas un pantalon qui laisse entrevoir le string !

D'autres, avec le même passé, réagissent au contraire par une excessive permissivité. Leur laxisme est loin d'être protecteur. Ils n'ont pas su, pas pu se protéger, ils ne protègent pas non plus leur enfant. Leur apparent désintérêt n'est pas tant démission que défense contre le retour de leurs émotions refoulées.

D'autres encore se montrent excessivement sévères. Ils interdisent tout, laissent peu de liberté à leur enfant. Ils le contrôlent, dans un espoir inconscient mais néanmoins désespéré de reprendre le contrôle sur leur propre histoire.

Joël est particulièrement dur avec son fils de quinze ans. Nous explorons ensemble ses sentiments mêlés. Il identifie beaucoup de colère contre son garçon, mais aussi de la peur. S'il ne contrôle pas son fils, il a peur pour lui…, peur aussi de lui… Que se passe-t-il dans la tête de Jacques ? En réalité, ce papa n'a pas peur de son fils, mais de ses propres émotions. À quinze ans, il passait ses journées allongé sur son lit avec la musique à fond. Les posters qui couvraient les murs de sa chambre disaient toute la violence qu'il avait dans le cœur. Sans copains, mal à l'aise avec les autres, il broyait du noir des jours durant. Puis il a grandi, il est sorti de cette période difficile en s'investissant dans son métier. Il s'est marié, a eu un enfant… Son passé douloureux était derrière lui. Jusqu'à ce qu'il le retrouve en face de lui, dans cet ado de quinze ans.

Ces deux exemples concernent des adolescents, mais le phénomène peut se déclencher à tout âge. Sont signifiantes les périodes au cours desquelles nous avons été blessés, que ce soit parce qu'un événement grave a marqué notre vie (deuil, divorce, redoublement, déménagement…), parce que c'était une période de solitude, que nous n'arrivions pas à communiquer avec nos parents, soit parce que nous avons été victimes de harcèlement de la part d'un autre élève ou d'un enseignant, soit tout simplement parce que nous étions malheureux. Toutes sortes de mécanismes psychiques vont se mettre en place et risquent de perturber nos relations avec nos enfants. Non seulement nos réactions vis-à-vis d'eux sont davantage motivées par le refoulement de nos affects que par leurs comportements réels, mais aussi nous les enfermons dans une histoire qui ne les concerne pas. Nous l'avons vu, les inconscients communiquent, et il n'est pas rare de voir nos enfants répéter ce qui nous fait le plus peur.

Guérir notre propre histoire nous aide non seulement à aimer nos enfants, mais leur rend la liberté d'être eux-mêmes. Quand la communication devient difficile, quand les disputes éclatent trop souvent, il peut être utile de se poser la question : qu'est-ce qui se passait pour moi au même âge ?

Le manque d'intimité est un bon indice. Dès que nous n'arrivons plus à nous sentir proches de nos enfants, cela signifie qu'il se passe quelque chose en nous qui nous éloigne d'eux.

12. Un jour, ils partent…

Sommes-nous alors capables de leur donner une vraie liberté ? Liberté de réussir, d'être plus heureux que nous, d'aller plus loin, plus haut… ou ailleurs, différemment, suivre leur propre route. C'est la définition du parent : il travaille pour être quitté. Il a accompli sa mission si l'enfant est devenu un adulte autonome. Et, sens de l'évolution oblige, nos enfants doivent aller plus loin que nous. Doivent ? Non. L'évolution vise à l'amélioration de l'espèce humaine en tant que groupe. Cela ne signifie pas que chaque individu porte la responsabilité d'aller plus loin que ses ancêtres. Quoique, s'ils ne nous en libèrent pas expressément, ce soit souvent dans cette direction que nous nous dirigions.

Bref la maturité des enfants n'est pas non plus une étape aisée à franchir pour les parents. Il n'est pas si simple pour tous de laisser partir les enfants, de leur permettre d'être plus grands, plus forts, plus riches, plus intelligents, plus ceci cela que soi ou trop différents de nous. Combien de « tu n'es plus mon fils »/« je n'ai plus de fille » quand l'enfant devenu adulte fait des choix qui ne conviennent pas au parent. L'adulte insécure s'identifie tant à ce qu'il nomme alors ses valeurs qu'il ne supporte pas ce qu'il entend comme une remise en cause de son identité. Il juge inadmissibles les choix de son fils ou de sa fille. En réalité il est tout à fait terrifié. Et il préfère rompre, ce qui lui permet de ne pas être confronté à sa blessure. Permettre à un enfant d'être différent, c'est oser penser que notre vie aurait aussi pu être différente de ce qu'elle a été, une perspective terrifiante quand on n'a pas vraiment choisi sa vie.

Laisser partir nos enfants (sans pour autant couper les ponts) demande d'avoir suffisamment de solidité intérieure, d'autres attaches et liens, et des perspectives de réalisation personnelle en dehors d'eux. Une mère restée à la maison pour s'occuper de ses enfants aura naturellement plus de difficultés que celle impliquée dans sa carrière. Mais auront du mal aussi les parents qui auront laissé leur couple s'éteindre, auront utilisé la présence des enfants pour justifier leur éloignement affectif et sont terrifiés à l'idée de se retrouver face à face.

Permettre à la nouvelle génération de nous dépasser, c'est encore une autre histoire. Si nous n'avons pas été là où nous désirions aller, nous pouvons éprouver quelques difficultés à permettre à notre enfant de réussir, ou bien nous retrouver à le pousser pour qu'il le fasse à notre place, ce qui en définitive lui enlève sa liberté de la même manière que nous n'avons pas eu la nôtre.

Une mère peut nier le droit au bonheur de sa fille parce qu'elle-même ne l'a pas atteint. Elle lui interdit d'être plus heureuse qu'elle, de la dépasser. « Tu n'auras jamais d'enfant », dit Micheline à sa fille parce qu'elle-même a perdu un enfant et ne sait pas développer de tendresse envers les autres.

« Regarde comme tu t'attifes, tu n'es pas féminine... Tu es désagréable, personne ne pourra te supporter... » Les remarques peuvent être plus subtiles : elles n'en poursuivent pas moins le même but inconscient, dévaloriser la jeune femme pour qu'elle ne se vive pas comme séduisante. Et ne soit surtout pas plus belle que sa maman.

« Dans la famille, on est ouvrier de père en fils », énonce avec solennité et réprobation Robert lorsque son fils évoque devant lui une proposition d'embauche en tant qu'ingénieur. Bien sûr, le parent interdit rarement verbalement et directement à son enfant de réussir. Mais l'enfant comprend, plus ou moins consciemment, que ses succès ne remplissent pas de joie son géniteur.

Voir ses enfants réussir là où l'on a échoué est douloureux parce que cela souligne que nous aurions peut-être nous-même pu réussir... En fait, un parent a plus de mal à accepter que son enfant réussisse s'il se vit comme partiellement ou totalement responsable de son propre échec ou choix erroné. Nous avons tant de mal à accepter avoir fait un mauvais choix de vie qu'une partie de nous apprécierait que notre enfant fasse la même erreur, pour pouvoir se dire « il n'est pas possible de faire autrement/je ne pouvais pas faire autrement ». C'est ainsi qu'un parent peut demander (inconsciemment le plus souvent, par des sourcils froncés, des soupirs, une attitude...) à son enfant de se sacrifier comme lui-même l'a fait pour ses parents.

Comment accepter de reconnaître cette partie noire de notre état de parents ? La réalité est que nous sommes le plus souvent ambivalents. Consciemment, nous désirons tout le meilleur pour nos enfants, qu'ils réussissent, se marient, s'épanouissent... Osons regarder la vérité, il arrive qu'une autre partie de nous, inconsciente, aille dans le sens contraire. Des remarques désagréables nous échappent, nous ne les préméditons pas. Elles nous surprennent même parfois. Suivons leur piste pour en découvrir l'origine. Elles nous parlent de nous. Plus nous découvrirons cette tendance « noire », moins elle aura de puissance.

Comment réparer nos erreurs ? De ces pages ressort une évidence : pour mieux écouter et accompagner nos enfants, nous avons tout d'abord à accomplir un chemin vers nous-mêmes.

QUATRIÈME PARTIE

COACHING BOOK

**Exercices, recettes, trucs et astuces
pour s'en sortir au quotidien[1]**

---

1. Pour des alternatives comportementales concrètes : www.psychologies.com, rubrique coaching enfants

SOMMAIRE DES EXERCICES

Il n'est pas simple, nous l'avons vu, de changer de mode de fonctionnement, même si nous sommes convaincus du bien-fondé de la nouvelle orientation que nous désirons donner à nos comportements. D'une part, nos habitudes sont bien ancrées. D'autre part, nous craignons parfois les réactions de notre entourage. Les autres sont témoins de nos comportements et réactions tous les jours, ne risquent-ils pas d'être perturbés par notre changement ?

Certes, il se peut que nous ayons à essuyer quelques jugements de la part de parents ou de beaux-parents, mais le regard de nos enfants nous fournira le soutien dont nous avons besoin. Avec de grands enfants, certains parents craignent parfois de les déstabiliser ! C'est mal connaître nos gamins, qui, le plus souvent, accueillent avec grand plaisir nos changements, même si ce sont des virages à 180 degrés, puisqu'ils les aident à se sentir mieux et voient leur relation avec nous s'améliorer. Pouvoir faire confiance à ses parents est si important ! Certains adultes croient qu'un parent doit se montrer « consistant », c'est-à-dire ferme sur ses positions, fidèle à ses convictions, pour que leurs enfants puissent leur faire confiance. En réalité, les enfants ont bien davantage confiance en un parent surtout consistant dans son désir d'accompagner au mieux ses enfants et qui donc change, adapte ses comportements en fonction de la mesure de leur impact tant sur la personne de l'enfant que de la relation.

Dans les pages qui suivent, je vous convie tout d'abord à un bilan. Non pas, bien sûr, pour repérer tout ce que vous faites « faux », mais pour vous observer. Nous croyons bien nous connaître, l'expérience montre que ce n'est pas toujours le cas. Il y a, dans nos attitudes, des milliers de détails auxquels nous n'avions jusque-là jamais porté attention. Ce sont ceux-là que nos enfants repèrent avec un flair infaillible et qui les renseignent notamment sur les différences de traitement entre eux ! Avouons-le, si certains de ces micro-comportements sont totalement inconscients, d'autres sont conscients, mais nous préférons ne pas les voir.

Comme toute observation, pour être efficace, l'introspection doit chercher quelque chose pour savoir où et comment diriger son regard. Ayant eu une fille puis un garçon, je me suis observée dans mon rapport à chacun pour y pister les différences. Mais si je n'avais pas lu qu'une mère a tendance pour la tétée à mettre d'abord sa fille au sein droit et son fils au sein gauche, jamais je n'aurais remarqué ce détail pourtant si signifiant ! J'avoue sur le moment avoir douté et m'être dit que vraiment je mettais indifféremment mon fils au sein droit ou gauche en fonction de celui qui me semblait le plus plein… Quelle surprise de constater qu'effectivement, et tout à fait inconsciemment, je mettais mon fils systématiquement au sein gauche, celui qui, chez la majorité des femmes, contient davantage de lait. Hors de sa conscience, une femme permet à son nourrisson mâle de boire davantage de lait qu'à son nourrisson femelle ! De là à ce que la petite fille en déduise qu'elle est moins aimée, il n'y a qu'un pas ! Nourrir et aimer, c'est si lié. Est-ce biologique, est-ce social ? À ce jour nul n'a identifié précisément le mécanisme à l'œuvre, et l'étude n'a, à ma connaissance, été menée qu'en Europe et aux États-Unis.

Écrire n'est pas obligatoire, mais tellement utile ! Même si vous n'êtes pas un adepte des carnets, je vous invite à tenter l'aventure. Écrire, c'est l'occasion d'un rendez-vous avec soi-même. Bien sûr, votre carnet sera confidentiel, ce que vous écrivez ne regarde que vous. Que ce soit un vieux cahier à moitié utilisé[1] de vos enfants, un joli carnet tout neuf à la couverture cartonnée ou un bloc acheté à la va-vite au supermarché, ayez-le à portée de main assorti d'un stylo pour y noter rapidement quelques phrases sur le vif. Plus tard, vous y écrirez aussi vos réflexions, vos commentaires, les résultats de vos tentatives. Il sera votre compagnon. Il pourra être un refuge dans les moments difficiles, vous aider lorsque vous serez animé d'une impulsion violente, il sera aussi un espace pour laisser parler l'enfant que vous étiez.

---

1. Quelle famille n'a pas en stock des cahiers de tous formats dont seules quelques pages ont été noircies de devoirs scolaires ? L'année suivante, ce n'est plus le même format qui est requis ou donné par le professeur dans les écoles publiques respectueuses de la gratuité, et puis, l'enfant veut un cahier neuf pour partir sur de bonnes bases… Bref, les cahiers s'accumulent et attendent le recyclage.

1. S'OBSERVER SANS CULPABILITÉ

Observez sans jugement ! Si un sentiment de culpabilité survient, calmez-le par une pensée de tendresse à votre égard. Il n'est pas facile d'oser voir que nos actes peuvent blesser nos enfants. Vous êtes en droit d'éprouver beaucoup de respect pour vous-même. **N'oubliez pas que respect et tendresse seront de meilleurs compagnons d'évolution que culpabilité et remords.**

Pendant quelques jours, observez vos réactions face à votre enfant :

— Combien je passe de temps effectif avec lui ? C'est-à-dire centré sur lui, à jouer, parler, câliner... sans compter le moment où je prépare le dîner pendant que je surveille les devoirs d'un œil distrait ?

— Comment je l'inclus dans mes activités ? Faire la cuisine, le ménage, les comptes...

— Comment je le nourris ? Trop, normalement, équilibré, bio, au fast-food, quand il veut, à heures fixes, sans faire attention...

— Comment je l'embrasse ? Sur les joues, sur la bouche, partout, tendrement, du bout des lèvres, tout le temps, jamais...

– *Comment je le touche ? Pour le soigner et le laver uniquement, en le massant, en le câlinant, en le faisant sauter sur les genoux, en le frappant…*

– *Et comment je me sens dans ce toucher ? Froid(e), chaleureu(x)se, aimant(e)…*

– *Comment j'écoute ses émotions ? Pas du tout, seulement les rires, pas les pleurs ou seulement les pleurs, pas les colères ; toutes les émotions…*

– *Comment je gère ses incartades ?*

– *Comment je refuse ? Jamais, maladroitement, avec peur de perdre son amour ou au contraire trop souvent ?*

– *Comment je l'encourage à s'éloigner ?*

– *Comment je l'aide et comment je le laisse grandir ? Trop, pas assez… J'observe ce que je fais pour lui (le laver, lui couper la viande, le servir, faire son lit, ranger son linge…) Je vérifie : « Serait-il capable de faire cela seul ? »*

– *Comment j'écoute ce qu'il raconte de sa vie, ses jeux, ses copains ? Distraitement, avec intérêt, brièvement, en faisant autre chose, longuement ?*

– *Comment je lui parle de moi et de ma vie ?*

– *Comment j'accepte qu'il grandisse et s'éloigne de moi, soit différent de moi ?*

Mes points forts, ce que j'aime de moi dans ma relation à mes enfants :

Mes points faibles, ce que je n'aime pas de moi :

Les situations dans lesquelles j'ai tendance à me sentir impuissant(e) ou démuni(e) :

Mes convictions éducatives :

Celles de mes parents :

Ce qui est le plus difficile pour moi :

Quelques-unes de mes réactions typiques face aux « bêtises » et non respect de nos contrats :
Face à ses cris :

Aux bagarres entre frères et sœurs :

À ses refus, à ses manifestations d'opposition :

À ses désirs :

À ses colères :

À ses pleurs :

À ses difficultés à l'école ou avec les autres :

Il n'y a pas de parent parfait

Quand je suis exaspéré(e), je...

Je repère trois situations ou comportements de mon enfant qui m'énervent :

J'écoute ce qui se passe en moi dans ces moments-là :
Je me sens...

J'ai envie de...

Ça me rappelle...

Les réactions que j'aimerais avoir :

Le plus important à changer pour moi :

Je décide de...

2. Pour ne plus culpabiliser[1]

Nous l'avons vu, le sentiment de culpabilité nous centre sur nous-mêmes et nous empêche souvent de résoudre les problèmes. Il est un frein à la relation et un poids inutile sur nos épaules. De deux choses l'une, soit nous sommes coupables, auquel cas, il s'agit de prendre nos responsabilités et de réparer, soit nous ne le sommes pas, le sentiment de culpabilité est donc malvenu.

On peut éprouver un sentiment de culpabilité par rapport à un acte que nous avons posé ou une conséquence sur autrui d'une de nos attitudes. En revanche, quand le sentiment de culpabilité est global, « Je suis une mauvaise mère, j'ai tout raté », il ne parle pas de la relation à l'enfant, mais d'un jugement qui nous vient plus probablement de notre propre enfance. L'exercice « guérison de l'enfant intérieur » (p. 260) sera alors plus approprié que l'analyse de nos comportements éducatifs.

Par rapport à un acte, une conséquence, vérifions honnêtement la réalité de notre culpabilité. En effet, la plupart du

1. Je traite en détail ce sujet de la culpabilité dans mon livre *Le Défi des mères,* coécrit avec Anne-Marie Filliozat, ma mère, paru aux éditions Dervy. Les lecteurs intéressés s'y reporteront.

temps, nous avons tendance à éprouver des sentiments de culpabilité dans des situations sur lesquelles nous n'avons aucun pouvoir. C'est souvent ce manque de pouvoir même qui déclenche abusivement le sentiment de culpabilité. La victime se sent souvent coupable, au contraire du vrai coupable.

Le sentiment de culpabilité nous retient de blesser autrui et en ce sens il est utile et constructif. Il ne s'agit donc pas de le gommer totalement. Nous nous attaquons ici au sentiment purement destructif de l'image de soi et des relations.

1. Je suis réellement totalement responsable.

2. Je suis partiellement responsable.

3. Je ne suis pas responsable du tout.

Selon ce que j'ai coché :

1. J'accueille, voire je favorise et j'écoute la colère de mon enfant, puis je répare.

2. Je fais la part des responsabilités, j'assume toute la mienne et rien que la mienne. Je ne protège pas l'autre parent ou qui que ce soit. Se sentir coupable est parfois une manière de porter à la place de quelqu'un d'autre...

3. J'identifie la perte ou la blessure subie, l'humiliation ou la frustration de mes besoins. Dans cette situation, je ne suis pas sujet, je ne suis pas décisionnaire... Je reconnais mon sentiment de culpabilité comme un retournement contre moi de ma frustration. C'est une tentative inconsciente pour me sentir au contrôle. J'accepte mon sentiment d'impuissance. J'ose sentir les émotions que je réprimais.

Les sentiments de culpabilité éprouvés excessivement sont un bon indice de présence d'émotions de peur, de terreur, colère, rage, dégoût… encore refoulées en soi. Au fur et à mesure du travail sur soi et des progrès dans la conscience de soi, ils diminuent au profit de la responsabilité et du sentiment d'avoir du pouvoir sur sa propre vie.

3. LE REGARD DES AUTRES

A vez-vous honte quand vos petits chéris sortent en san-
dales dans la boue ou chaussés de bottes de pluie les
jours de grand soleil ?

Quand le professeur vous dit qu'il ne fait que des bêtises
ou ne travaille pas suffisamment ?

Que ressentez-vous au square lorsque votre petit d'ordinaire si mignon mord la petite fille « qui ne lui a rien fait »
ou au supermarché quand il se met à hurler qu'il veut ce
paquet de bonbons-là.

J'ai honte quand les autres voient...

Pour assumer, il suffit d'inverser le sens du regard. Ne les
laissez pas vous regarder. Ne soyez plus l'objet de leurs
regards. Regardez-les, parlez-leur, devenez sujet ! Si c'est
vous qui regardez, vous n'êtes plus l'objet de leur regard.

Une personne me regarde ? Je la regarde, je la détaille...

Mon enfant est différent ? Heureusement ! Chaque
enfant a le droit d'avoir sa personnalité, ses caractéristiques
propres. Que ce soit grave ou non, que ce soit un problème

d'énurésie[1], d'autisme, d'asthme, de psoriasis, de dyslexie, d'obésité, de colères excessives… Pour ne pas laisser la place à la honte ou au sentiment de culpabilité, il s'agit de ne pas rester sous ce regard d'autrui. Outre l'inversion de la direction du regard, je peux :

1. En parler avec d'autres parents qui vivent le même problème.

2. M'informer sur la différence pour savoir répondre et surtout me sentir solide.

3. Aller vers les autres, les informer.

4. Faire partie d'une association, me réunir avec d'autres qui rencontrent la même difficulté.

Le plus souvent, le parent n'a pas trop envie d'aller à la rencontre d'autres personnes vivant les mêmes choses. Il se sent différent, ne veut pas accepter ni d'en avoir besoin, ni surtout de se reconnaître comme « maman d'un énurétique » par exemple. En réalité, c'est tout le contraire qui se passera. Dans les échanges, les étiquettes se décollent, tant celles de l'enfant que celles du parent.

Une personne se permet de juger ?

Je m'exerce à recadrer. Chaque fois que moi ou une autre personne utilise un jugement sur l'enfant, je reformule…

Il dit : « Il est timide. »

Je rétorque : « Il prend le temps de savoir à qui il a affaire avant de vous parler. »

Il dit : « Elle est capricieuse. »

Je réponds : « Elle a très envie de ce jouet. »

---

1. Pipi au lit.

4. Je suis tendu(e), stressé(e)

Cochez les phrases qui vous parlent :
– *Je m'énerve pour un rien.*

– *J'ai tendance à accuser.*

– *Je perds mes clés.*

– *Je laisse brûler les plats dans les casseroles.*

– *Je suis tout le temps pressé(e).*

– *« Dépêche-toi » est ma phrase favorite.*

– *Il faut que tout soit impeccable.*

– *Il faut que les enfants obéissent au doigt et à l'œil.*

J'ai coché plus d'une phrase ? Je suis sous stress !

Je fais le point de mes agents stresseurs :

– *Est-ce que je reçois suffisamment de reconnaissance pour ce que je fais, pour ce que je suis ?*

– *Ai-je peur du jugement si ma maison n'est pas impeccable (ou autre) ?*

– *Est-ce que tout ce que je fais est absolument nécessaire ? Ou est-ce que parfois j'obéis à des injonctions d'autres personnes ou du passé ?*

– *Je regarde ma vie de manière plus globale : où en suis-je en termes de :*

• *sécurité : sécurité financière, physique (absence de maladie, de danger) ;*

• *territoire (appartement ou maison, envahissement par d'autres…) ;*

• *amour, tendresse (comment va ma relation de couple ?) ;*

• *épanouissement, réalisation personnelle (quels sont mes buts ? comment je me réalise ?).*

Qu'est-ce que je peux faire pour diminuer mon taux de stress ?

Satisfaire mes besoins sur le plan :

– *physique (manger, boire, dormir, faire l'amour, marcher, faire du sport…) ;*

– *émotionnel (être reconnu(e), pleurer, rire, dire mes colères…) ;*

– *intellectuel (lire, échanger, m'informer, réfléchir…) ;*

– *social (rencontrer, sortir, avoir une place, être utile…) ;*

– *spirituel (sens…).*

Je prends trois décisions pour aller mieux :

Je fais une liste de dix petites demandes, dix petites attentions qui me feraient plaisir. Je la confie à mon conjoint. Au cours du mois, il me distillera, à son gré, ces attentions.

Je parle de moi, je raconte mes journées. Je partage une discussion de dix minutes avec au moins une personne adulte par jour.

5. Je m'énerve

*Q*uand je m'énerve face à un comportement de mes
enfants, d'où viennent mes cris et à qui s'adressent-ils en
réalité ?

Pendant une dizaine de jours, chaque fois que je m'énerve,
je m'interroge et je fais une croix sur la ligne correspondante.
Il arrive que plusieurs facteurs interagissent :

– fatigue
– cycle hormonal
– problèmes au travail
– conflits dans le couple
– poids des tâches ménagères assumées seul(e)
– difficultés financières
– malade dans la famille proche
– frustration
– injustice
– inquiétude
– autres soucis…

Je fais le compte. Combien de croix sur chaque ligne ?

Une fois le bilan effectué, place à l'émotion. Choisissez une personne de confiance à qui parler, un(e) ami(e), votre psy... et confiez-lui ce que vous avez découvert. Dans un premier temps, vous avez juste besoin de vous plaindre (si, si...), puis de pleurer, rager, cogner sur des coussins, taper dans la balle au tennis ou couper du bois... Vous êtes libre de trouver vos propres idées pour laisser sortir votre énergie. Faites confiance à votre créativité.

Ensuite, voyez vos besoins immédiats : de l'aide, un soutien. Introduire un tiers va diminuer votre stress d'un cran (voire plus). Cessez de penser que vous devez tout assumer seul(e). Non seulement il n'y a pas de honte à se faire aider, mais le vrai courage est là : ne plus se voiler la face et oser demander !

6. Il pleure

*Q*ue se passe-t-il en moi quand mon bébé pleure alors qu'il n'a ni faim, ni soif, ni besoin de dormir ou de câlin… ? *Et quand mon enfant de quatre, dix, quatorze ou vingt-deux ans pleure ? Je coche ma réaction :*

1. Je panique, je ne sais pas quoi faire.

2. Je me culpabilise.

3. Je l'agresse.

4. Je me bouche les oreilles ou pars dans une autre pièce pour ne pas l'entendre.

5. J'entends ses pleurs pour ce qu'ils sont, des tentatives de se soulager d'un poids. Je l'écoute et je l'accompagne.

Si je n'ai pas coché 5, je projette probablement mes propres pleurs d'enfant, je suis tout(e) retourné(e) par ses sanglots et bien incapable de les écouter.

Dès que j'identifie qu'il m'est difficile, voire insupportable, de l'entendre pleurer :

1. Je respire, je prends le temps de retrouver ma sérénité intérieure. Au besoin, et si l'enfant n'est pas trop petit pour être laissé seul, je vais dans les toilettes. Sinon, je me tourne et me bouche les oreilles quelques instants, juste le temps de me récupérer et pour ne pas laisser monter l'énervement en moi. Si ses hurlements me vrillent les tympans, je pense aux bouchons d'oreille pour pouvoir rester détendu(e) face à lui et disponible.

2. M'arrive-t-il de pleurer ? Qu'est-ce qui se passe pour moi quand je pleure ? Je me mets en contact avec mes sensations. Je me souviens du soulagement qui succède aux pleurs. Je me donne de la tendresse.

3. Je me souviens d'un moment d'amour pour mon enfant, de bonheur avec lui. Je m'installe dans ce sentiment d'amour inconditionnel.

4. Je visualise ses larmes comme un poison qu'il a dans le cœur et qu'il est en train de faire sortir. Je l'encourage à sortir toute cette souffrance de lui. Je vois ce poison couler hors de lui jusque dans un vase que, mentalement, j'installe devant moi. Sa tristesse ne pénètre pas dans mon cœur, elle se déverse dans le vase. Je le vois se soulager de sa souffrance grâce à ses larmes.

5. S'il est dans mes bras, je prolonge le contact de mon corps jusque dans son corps et le sien dans le mien. Comme si mes bras « écoutaient » son corps. Je reçois mon bébé dans mon corps. Cela d'une part pour lui donner suffisamment de sécurité pour qu'il puisse se libérer tout son saoul, et pour rester en contact intime avec lui sans partir dans une hyperréaction. Je peux aussi faire ce travail intérieur mentalement, sans contact.

6. Je le regarde dans les yeux avec tendresse et respect.

7. Je l'encourage encore : « Pleure, je suis là pour écouter combien tu as eu mal, montre-moi. Pleure tout ce que tu as besoin de pleurer. »

8. *Je reste là, je le regarde pleurer sa douleur. Je regarde toute cette douleur s'évacuer. Je ne la prends pas dans mon cœur, je la regarde s'écouler dans le vase.*

9. *Les pleurs ne durent pas bien longtemps... Ou, s'ils durent, c'est que l'émotion réelle n'est pas identifiée. Je l'écoute alors pour l'aider à mettre des mots dessus.*

7. ÉCOUTER

É couter n'est pas si évident qu'il y paraît. On est si vite tenté de répondre, de trouver des solutions, de conseiller, de terminer les phrases de l'autre, de l'interrompre, voire de le juger... Et puis on peut entendre vaguement, entendre les mots mais pas le sens. Entend-on toujours le cœur de celui qui nous parle ?

Écouter un enfant ne consiste pas à se mettre en face de lui en annonçant : « Je t'écoute. » L'enfant parle davantage quand il est tourné dans le même sens que nous, en voiture, en faisant autre chose... Écosser les petits pois, éplucher les légumes, refaire un peu de cuisine, bricoler ou même ranger la vaisselle sont autant d'occasions. S'il a besoin de parler, il saisira la perche.

Faire quelque chose ensemble peut aussi être une façon d'écouter au-delà des mots, d'écouter la vie en lui.

En silence, je sens l'amour que j'ai pour lui. Je déguste chaque instant de sa présence. Je respire son énergie, son odeur.

Il me parle ? J'écoute au-delà des mots, j'écoute le mouvement de la vie en lui.

Il me raconte un événement ? une altercation ? Je ne prends pas parti. Je m'abstiens de tout commentaire, je reflète simplement ses sentiments : « Dur ! », « T'as dû te sentir furieux », « Tu te sens malheureux de... ». Attention au ton de votre voix. Vous ne proférez ni des définitions ni des interprétations, vous n'affirmez pas, vous êtes en contact avec son émotion à l'intérieur de vous et vous mettez simplement des mots sur cette émotion.

J'observe ce qui se passe en moi quand je ne réponds pas, quand je ne donne pas de solution, quand je ne dirige pas la conversation...

Nous sommes tentés de couper court à la conversation d'une manière ou d'une autre ou d'en reprendre le contrôle quand nous avons peur de voir émerger des émotions.

Je suis mal à l'aise quand :

je supporte mal ses (barrez les mentions inutiles) peurs, colères, tristesses, joies...

parce que ça me rappelle...

ou parce que je me dis que...

Quand je me sens démuni(e) face à son émotion :

1. Ce n'est pas parce que l'enfant est dans une réaction émotionnelle qu'il vit une véritable émotion. Par exemple, il peut avoir peur ou se montrer triste face à une injustice au lieu de se sentir en colère, ou son émotion est démesurée, exagérée. Si sa réaction est disproportionnée, inappropriée, il s'agit probable-

ment d'un sentiment parasite[1], il est alors naturel que je me sente démuni(e).

2. Si son émotion est appropriée, je regarde en moi. Suis-je confortable moi-même avec cette émotion ?

3. Aurais-je éprouvé la même émotion au même âge sans pouvoir l'exprimer ? ou l'ai-je exprimée sans qu'elle ait été entendue ?

Dans ma famille d'origine, certaines émotions étaient-elles interdites ?

Quelles étaient les émotions que mes parents montraient le plus souvent ?

Si je découvre qu'une de mes réactions vis-à-vis de mon ou mes enfants pourrait être motivée par une fidélité consciente ou inconsciente à ma famille d'origine, je décide de rompre cette fidélité. Je continue d'appartenir à ma famille même si j'exprime, par exemple, mes colères ou mon amour.

La fidélité, en l'occurrence, n'est pas une valeur positive. On est d'autant plus fidèle qu'on a peur et mal. Nous avons le droit d'être fidèles aux bonnes choses que nos parents nous ont apprises, inutile de l'être vis-à-vis de celles qui abîment nos relations aux autres.

---

1. Vous trouverez davantage de précisions dans mon livre *Que se passe-t-il en moi ?*, chez J.-C. Lattès ou Marabout. Ces notions sont aussi développées dans le stage « La grammaire des émotions ».
Voir www.filliozat.net.

Je fais la paix avec mes propres émotions.

Je me souviens de moi, enfant. Qu'est-ce que j'éprouvais quand j'étais en colère, quand j'avais peur, quand j'étais heureux, quand j'étais triste... Je convoque mes sensations et je donne aujourd'hui à l'enfant que j'étais le parentage dont il avait besoin.

8. LE LANGAGE DE LA TENDRESSE

Il y a les parents qui disent « je t'aime » quatre fois par jour et ceux qui n'y parviennent pas du tout. Ceux qui n'arrivent pas à dire non à leur enfant et croient que c'est ainsi qu'ils leur disent qu'ils les aiment. Il y a ceux qui proclament préférer les actes aux mots, ceux qui les remplacent par des cadeaux... Quand on n'en a guère entendu dans son enfance, il n'est pas toujours facile de prononcer des mots d'amour. Il arrive aussi qu'on en dise trop ou mal... On se sent parfois contraint d'en rajouter. Ces mots peuvent venir en lieu et place d'autres qu'on ne sait prononcer. Quand le « je t'aime » signifie « je te dis que je t'aime pour être sûr que tu en sois persuadé parce que moi j'en ai tant manqué », il peut être perçu comme lourd par l'enfant, et il rappelle chaque fois à celui qui le prononce les manques de son enfance. Ce n'est plus un « je t'aime » relationnel dans le présent, mais un « je t'aime » qui s'adresse à soi-même. Il y a aussi les parents qui abusent des compliments « tu es beau/tu es splendide/tu es merveilleuse/tu es si intelligente/tu es sage » qui risquent de contraindre leurs enfants à être beaux, intelligents, sages... sous peine de ne plus être aimés. Et surtout qui viennent en lieu et place de mots plus impliquants tels que : « J'aime vivre avec toi, quand je te regarde, je sens mon cœur battre dans ma poitrine… » et simplement « je t'aime »[1].

Je dis « je t'aime » une fois par jour à chaque enfant, attentif à ma respiration, en restant attentif aux sensations dans ma poitrine et en le regardant dans les yeux.

Trop difficile ? Commencez par le lui glisser à l'oreille pendant un câlin ou par le penser… Le plus important est de laisser s'épanouir les sensations de l'émotion d'amour dans votre poitrine.

Comment s'exprimait-on dans ma famille ? Comment disait-on l'amour et la tendresse ? Je prends conscience de ce qui m'a manqué. Je donne à l'enfant en moi ce dont il a besoin. Je fais éventuellement le travail de guérison.

---

1. Attention, je n'ai pas dit qu'il faudrait bannir les « tu es beau » mais seulement d'éviter les excès. L'idéalisation met à distance.

9. Savoir dire non, savoir dire oui

Au tout début, le parent est entièrement responsable de la protection de sa progéniture. Puis il lui donne des permissions de faire seul, de s'éloigner... Il ouvre l'espace progressivement.

Il n'est pas toujours facile de doser entre la protection nécessaire pour assurer la sécurité de l'enfant et les permissions pour lui permettre d'acquérir sa liberté...

Je déplace le curseur sur la ligne entre sécurité et liberté en fonction de l'image que je me fais de moi en tant que parent :

SÉCURITÉ   LIBERTÉ

Plus l'enfant est jeune, plus le curseur doit être proche de « sécurité », et, plus il est mature, plus il devrait se rapprocher de « liberté ». Lorsqu'il est parti de la maison, il devrait être 100 % dans la liberté... Est-ce bien le cas ?

L'autonomie que je laisse à mon enfant est-elle suffisante, insuffisante, exagérée ?

Ai-je tendance à faire à sa place alors qu'il peut faire seul ?

Au besoin, je vérifie avec lui.

Je lui apprends à : couper, se servir, s'habiller, se laver, faire son lit, ouvrir son œuf à la coque, faire ses devoirs…

Il arrive que, sous couvert de protection, un parent devienne envahissant. Particulièrement à l'adolescence, le parent peut se montrer intrusif. Supportant mal l'autonomie naissante de son enfant, il peut entrer dans sa chambre sans frapper, peut chercher à lire son journal intime ou jeter un œil à son blog. Il peut vouloir « nettoyer » la chambre, inspectant les petites culottes et les draps…

Que se passerait-il pour moi si je le laissais grandir ? Comment puis-je accepter de me sentir devenu(e) inutile ?

Dire NON, restreindre l'espace autour de l'enfant pour le protéger, est nécessaire un temps. Puis les NON peu à peu peuvent faire place aux OUI.

À treize ans vous dites : « NON, tu ne sors pas seule le soir. »

À quinze cela deviendra : « OUI, et voici les conditions… »

Comme l'enfant grandit les conditions s'assouplissent. À dix-huit ans, il est devenu adulte, c'est un OUI inconditionnel.

Vous pouvez aussi vouloir protéger un objet…

À un an : « NON. Tu ne touches pas à ce verre en cristal. » (Ou plutôt : Tiens, voici le tien. »)

À deux ans : « Tu as le droit de le toucher quand je suis à côté de toi. »

À trois ans quand il a acquis une bonne dextérité : « Regarde, ça se tient comme ça, tu peux le prendre. »

« Je peux aller sur le toboggan géant ? Je peux aller voir la petite fille ? Je peux aller chez le voisin ? Je peux acheter tout seul le pain ? Je peux aller à l'école tout seul ? Je peux sortir de table ? Je peux faire de la peinture ? Je peux faire un gâteau ? Je peux… »

J'ai parfois du mal à dire OUI, à permettre ?

Je n'ai probablement pas reçu moi-même ces permissions que je refuse à mon enfant.

Il n'est pas facile de donner à son enfant des permissions qu'on ne se donne pas à soi-même. Quand nous n'avons pas une permission, nous n'avons pas non plus l'expérience, le vécu, des peurs peuvent s'insinuer en nous. Du coup, nous hésitons à dire OUI.

Et si je me donnais quelques autorisations ?

– Je m'autorise à aller « déranger » la voisine pour lui demander du sel, de la farine ou une tête d'ail.

– Je m'autorise à me lancer dans une activité que je ne finirai pas.

– Je m'autorise à…

Parfois nous ne savons dire ni OUI, ni NON. Nous laissons alors nos enfants prendre leurs décisions seuls, ce n'est hélas pas par respect pour leurs besoins, mais par incapacité personnelle à prendre position.

Nous avons besoin de puissance pour dire NON comme pour dire de vrais OUI.

Lorsqu'un parent manque de puissance personnelle, il a tendance à recourir aux jeux de pouvoir et à la manipulation pour obtenir ce qu'il veut ou il laisse faire.

Puissance, Permission, Protection sont les 3 P du parent. Les trois sont indissociables.

La Puissance, c'est en fait la sécurité intérieure, la confiance en soi. C'est cet amour de soi et de la vie qui nous confère notre solidité. Sans elle, les permissions deviennent laxisme et la protection est souvent incohérente.

Je suis puissant quand...

– Je suis en contact avec mes véritables émotions.

– Je sens mon sentiment de sécurité à l'intérieur de moi.

– Quels que soient leurs comportements ou leurs paroles, mes enfants n'ont pas le pouvoir de me détruire.

– Je ne crains pas le regard des autres, parce que je sais que leurs éventuels jugements ne sont que camouflages de leurs blessures.

– Je m'aime.

10. COMPÉTITION

J e m'observe. M'arrive-t-il d'éprouver un petit pincement au cœur quand je vois une mère ou un père
s'occuper de son enfant et lui donner ce que je n'ai jamais
eu ? Dans un square, chez des amis, dans le train…

Ce pincement au cœur est une information. Je peux opter
pour la jalousie ou pour la guérison de mon histoire.

Si j'étais en compétition avec mon enfant, ce pourrait être
par rapport à quoi ?

– La tendresse reçue

– Le nombre ou la qualité des jouets

– Les vêtements

– La nourriture

– La liberté

– Les études

– Les hobbies

– Les amours

– Autre…

Qu'est-ce que j'ai le plus de mal à donner à mon enfant ?

Là encore, observez vos réactions sans jugement. Si vous êtes dans la compétition avec votre enfant, ce n'est pas parce que vous êtes un mauvais parent, mais parce que vous avez été carencé dans votre propre enfance. Vous juger est donc non seulement inutile mais risque d'inhiber le processus de guérison. Félicitez-vous au contraire d'oser le reconnaître !

Pour ne pas rester dans la compétition, veillez à vous occuper du petit enfant à l'intérieur de vous...

Chaque fois que j'éprouve une pointe de jalousie, je vais voir l'enfant que j'étais. Je l'écoute, je lui parle, je le vois dans mon imaginaire recevoir ce qu'il n'a pas eu à l'époque : tendresse, autonomie, permission, jeux, copains...

J'accepte les émotions qui montent. Je laisse venir ce qui vient. Je développe toute la tendresse dont je suis capable envers l'enfant que j'étais.

Cela m'aidera à ce que je puisse me réjouir davantage de ce dont mon enfant bénéficie.

11. Est-ce que je m'aime, moi ?

Il y a ce que j'aime en moi (listez une vingtaine d'aspects physiques, émotionnels, relationnels, intellectuels, spirituels...)...

Aimer différents aspects de soi est une étape. S'aimer, c'est plus vaste, c'est une acceptation inconditionnelle de soi, une tendresse à l'égard de soi-même, une sensation de complicité, d'intimité... qui vient du contact intime avec soi-même et donc se découvre au fur et à mesure de la découverte de ses émotions.

Dans un premier temps, je me regarde chaque jour dans la glace et je me concentre sur un détail de mon visage que j'aime.

Je me regarde dans la glace, yeux dans les yeux, et je dis à mon reflet : « Je t'aime. » Je suis attentif aux sensations que j'éprouve. Au début, rien du tout, probablement. Puis, au fur et à mesure des jours, des vagues de colère, de dégoût, de mépris, je les traverse en insistant sur le « Je t'aime ». Peu à peu s'installeront de la complicité, de la tendresse et enfin de l'amour… Si, si…

Je me regarde avec les yeux d'une mère universelle, porteuse d'une infinie tendresse. Je sens ce qui se passe en moi quand j'arrive à recevoir cette tendresse et cet amour. Je me remplis de cet amour. Je vais pouvoir le donner plus facilement à mon entourage.

S'aimer, c'est éprouver de la joie à se sentir vivre, à sentir la vie palpiter en soi.

Pour mieux m'occuper de mes enfants, j'ai besoin de m'occuper d'abord de l'enfant à l'intérieur de moi. Voici quelques options pour aller à la rencontre de cet enfant en vous et, peu à peu, guérir ses blessures. Vous pouvez choisir la voie qui vous convient le mieux, ou les emprunter toutes…

La photo

Je choisis une photo de moi enfant. Je la regarde. Je laisse monter en moi les sentiments, émotions, pensées… S'ils sont d'amour, tout va bien. Sinon, je note ce qui me vient.

Parfois, l'enfant que nous étions nous dégoûte, nous répugne, nous en avons honte… Nous n'avons qu'une envie, c'est de le repousser. En réalité, ce sont nos souffrances que nous avons ainsi envie de fuir. Allons-nous laisser l'enfant que nous étions seul(e) ainsi avec sa douleur ?

Il est utile d'observer cela en soi et d'analyser.

Qui disait ou pensait cela de moi ?

Qui m'a fait ou laissé porter le poids de mes difficultés sans m'aider ?

Pour développer l'empathie envers l'enfant que nous étions, nous avons besoin d'entendre ses émotions. Nos jugements sur nous-mêmes ne sont que des manières de mettre à distance nos affects. Il est parfois plus facile de dire « j'étais grosse » que « j'étais terrifiée par les autres ».

« J'étais naïf » que « J'avais si peur que je n'osais pas parler ».

Mais tous ces jugements nous éloignent de nous-mêmes… et de nos enfants.

En regardant la photo, en laissant remonter les souvenirs, j'écoute mes émotions d'enfant.

À deux, on est plus fort

J'imagine que j'emmène avec moi la petite fille ou le petit garçon que j'étais. Je le/la visualise à mes côtés. Quand il ou elle a peur, je le/la rassure, je lui parle, je l'écoute.

Tout au long de la journée, il/elle m'accompagne dans mes activités. Je le/la tiens par la main, je lui parle intérieurement, je lui montre ma vie d'aujourd'hui.

La guérison de l'enfant intérieur

Voici le texte d'une relaxation que vous pouvez enregistrer[1] avec votre voix et refaire autant de fois que nécessaire.

Je ferme les yeux, je respire.

---

1. Cette relaxation-visualisation est enregistrée par l'auteure. Le CD est en vente sur le site www.filliozat.net.

Je visualise entre mes sourcils un point de lumière bleue.

Ce point de lumière va parcourir mon corps et détendre un à un chaque muscle. La lumière balaie le front, descend autour des yeux, le long du nez, détend la mâchoire et même la langue.

Le point bleu descend dans le cou, l'épaule droite, le bras droit, jusque dans les doigts, le point de lumière bleue remonte, traverse la poitrine, épaule gauche, bras gauche, jusque dans les doigts. La poitrine, le cœur, la lumière caresse le ventre, relâche le bassin, descend dans la jambe droite, jusque dans les orteils, remonte, passe dans la jambe gauche, jusque dans les orteils.

Le point de lumière bleue se pose sur le coccyx, relâche, détend. Il remonte la colonne vertébrale vertèbre après vertèbre, les lombaires, les dorsales, les cervicales, parcourt le crâne, relâche les os, illumine tout le cerveau.

Et comme je respire calmement, profondément, une bulle de douce lumière bleue m'enveloppe.

Je laisse mon corps continuer de se détendre et pars mentalement dans une forêt.

Un grand arbre se dresse devant moi. Solide. Il étend majestueusement ses branches dans le ciel. Je m'approche. Je l'entoure de mes bras, je pose la joue contre l'écorce. Je sens son énergie.

Je m'assois maintenant, dos à l'arbre. Je pense à mes difficultés actuelles. Je laisse venir les émotions, les sensations suscitées par ces images.

L'enfant en moi est blessé.

Non loin de l'arbre, j'aperçois une grotte, profonde. Je sais qu'elle mène à une scène de mon passé. Une scène douloureuse de mon enfance.

Moi, l'adulte d'aujourd'hui, je vais intervenir dans mon passé, pour aider, soutenir cet enfant que j'étais.

Tandis que je continue de méditer sous l'arbre, une image de moi se lève et se dirige vers la grotte. Je descends les marches qui se présentent devant moi.

J'arrive devant une porte. Derrière cette porte est une scène de mon enfance, je sais que je vais la regarder de l'extérieur, comme au cinéma. J'ouvre la porte.

Je regarde l'enfant que j'étais. Je regarde son visage. J'observe ce qui se passe autour de lui.

J'interviens dans ce qu'il est en train de vivre. Je suis le témoin, le défenseur qu'il n'a jamais eu. Je regarde mes parents, je regarde celui ou celle qui est en train de blesser l'enfant et je lui dis, je leur dis ce que je n'avais jamais osé dire. Je leur dis qu'il est injuste de traiter un enfant de cette façon, je leur dis que leur comportement est intolérable.

Rien, jamais, ne justifie que l'on blesse un enfant, qu'on le ridiculise ou qu'on le manipule.

Les images de mes parents s'évanouissent et je me tourne vers l'enfant que j'étais.

Je lui donne mon amour, il en a vraiment besoin.

Il se peut que cet enfant que j'étais soit tellement peu habitué à l'amour inconditionnel qu'il se méfie au début... Je lui donne le temps, je fais comme avec un petit enfant que je ne connaîtrais pas. Je m'approche avec délicatesse. Je lui laisse le temps de s'habituer à moi, de sentir le lien de confiance.

Selon son âge, je le prends par les épaules, sur les genoux ou dans les bras. Je lui caresse doucement la tête, je l'aime et le lui montre. Il a besoin de cet amour donné sans condition.

J'écoute ce qu'il a à me dire, ce qu'il a sur le cœur, j'écoute ses émotions. Je le laisse pleurer ou crier dans mes bras… Il est très important qu'il me parle, qu'il s'exprime.

Je suis son futur, je le connais mieux que personne.

Je lui parle maintenant, je lui dis ce qu'il a besoin d'entendre, je lui explique ce qu'il ne peut comprendre encore, je lui apprends ce qu'il ne sait pas encore. Souvent des larmes coulent, ce sont des larmes de soulagement, je les accepte. Mon amour a touché l'enfant en moi.

Je sens ce qui se passe en lui, ce qui se passe en moi, lorsque moi enfant je reçois cette tendresse.

J'aide maintenant l'enfant que j'étais à reprendre confiance en lui, je lui apprends à être lui-même et à s'affirmer.

Je l'accompagne dans les situations difficiles de sa vie.

Je lui apprends à se faire respecter, à jouer avec les autres, tout ce qu'il a besoin d'apprendre.

Je vois quel enfant j'aurais été si j'avais été accompagné, aidé de cette façon. Si j'avais reçu à ce moment-là l'amour et l'attention que je méritais.

Il est temps maintenant de dire au revoir à l'enfant, je lui dis que je reviendrai et surtout qu'il peut m'appeler chaque fois qu'il en a besoin.

Comme je remonte le temps progressivement jusqu'au jour d'aujourd'hui, je vois comment j'aurais grandi, comment j'aurais vécu d'autres étapes de ma vie.

Je visualise l'adolescent que j'aurais été, je me vois à vingt ans, vingt-cinq ans, trente-cinq ans… Je vois celui que j'aurais été aujourd'hui, je vois celui que j'aurais pu être. C'est celui que je suis en réalité, celui que j'aurais été si j'avais été respecté et accompagné correctement, comme je le méritais.

Comme je suis conscient de cela, conscient de ma réalité, je laisse naître un profond sentiment de confiance et de gratitude. Je sens la vie en moi.

Et, tout en restant en contact avec ces sensations, je reviens auprès de mon arbre. Je regarde autour de moi, je sens les odeurs, j'écoute les bruits de la nature.

Et je reviens dans ma bulle bleue. Je respire plus profondément. Je prends conscience de ce que je vois lorsque j'ouvrirai les yeux, je bouge les orteils et les doigts, les pieds et les mains, je reprends contact progressivement avec tout mon corps, je respire, je bâille, je m'étire… j'ouvre les yeux.

La lettre

J'écris une lettre à cet enfant que j'étais. Peut-être un poème… pour lui dire que je l'aime et deux ou trois choses que je voudrais qu'il sache sur lui, les autres et le monde.

12. Face à un problème, à un mauvais résultat, à une incartade...

F ace à un problème, à un mauvais résultat, à une incartade, les questions à se poser avant d'agir...

Quel est le problème ?
Ce problème m'appartient-il ou appartient-il à mon enfant ?
Quelle est mon intention ?
Mon attitude est-elle pédagogique ? Elle lui enseigne quoi ?

Il arrive que, par automatisme, nous ayons recours à la punition.

Une punition est une humiliation. De ce fait, elle est anti-éducative. Elle établit le pouvoir de l'adulte sur l'enfant et non la conscience de l'erreur. Elle est en général sans rapport avec la « faute », insiste sur la culpabilité de l'enfant et non sur la réparation. Les parents punissent souvent par réflexe, sans y penser, parce qu'ils ont eux-mêmes été punis. Et malgré le fait qu'ils savent donc à quel point ces punitions ne leur ont guère appris quoi que ce soit, ils les manient à leur tour.

Punir un enfant est une lutte contre le sentiment d'impuissance. En punissant, nous nous donnons l'illusion d'agir, de « faire quelque chose » pour que les choses aillent mieux. Quand on suggère d'ailleurs à des parents que punir est inutile, ils réagissent fréquemment par un cri du cœur : « Mais je ne peux tout de même pas le laisser continuer comme ça, il faut bien que je fasse quelque chose. »

Si nous n'étions pas prisonniers du jeu de pouvoir introjecté dans notre enfance, nous userions davantage de sanctions que de punitions.

Une sanction est une conséquence logique d'une transgression. Elle ne peut être posée que si la règle l'a été de manière explicite. On ne peut gronder un enfant qui ne savait pas qu'il ne pouvait pas découper les rideaux. La seconde fois, oui. La sanction responsabilise l'enfant, qui est amené à prendre conscience des conséquences de ses actes. La meilleure sanction est une réparation (nettoyer la tache sur la nappe, rétablir la confiance, repeindre le mur…). Proportionnée et en rapport direct avec l'erreur ou la transgression, elle ne s'intéresse ni à la faute, ni au fautif, vise à éviter la honte et à permettre à l'enfant de tolérer en lui un certain sentiment de culpabilité.

Je ne punis jamais :

1. Parce que j'ai peur que mon enfant ne m'aime plus.

2. Parce que j'applique des sanctions responsabilisantes et réparatrices = Passez directement à la séquence suivante.

Il m'arrive de punir :

1. Parce que je ne fais pas la différence entre sanction et punition.

2. Parce que c'est la seule chose que j'ai apprise.

3. *Parce que c'est ce que j'ai subi enfant. Et que je considère que c'était pour mon bien.*

M'arrive-t-il de faire subir à mes enfants des punitions que j'ai moi-même reçues dans mon enfance ? Lesquelles ? Je prends un temps pour observer mes comportements réels en situation et réfléchir à cette question, dont la réponse, somme toute, n'est pas si évidente.

Je réfléchis à trois transgressions commises ces derniers temps par mon enfant. Quelle sanction réparatrice j'aurais pu poser ?

Je mesure la différence entre sanction et punition.

13. Il m'insupporte

« Il m'exaspère ! »

« Il est flemmard, agressif, mou, égoïste, renfermé, timoré… »

« Il est comme ci, il est comme ça… »

Donner dix adjectifs pour décrire mon enfant…

Quels sont ceux que, si je suis honnête avec moi-même, je peux aussi m'attribuer ?

Quels sont ceux qui s'opposent très exactement à mes valeurs ? Par exemple « paresseux » si j'ai fondé ma vie sur la valeur travail.

Quand je ne supporte pas le caractère d'un enfant, qu'est-ce que cela dit de moi ?

Le caractère est la somme de nos habitudes émotionnelles, relationnelles et comportementales. Ces habitudes, mon enfant les a prises à mon contact...

Est-ce que mon énervement ne parlerait pas confusément de ma culpabilité à ce qu'il soit devenu ainsi ?

Est-ce qu'il me ressemblerait à moi enfant ou à un de mes frères ou sœurs ? Ou au contraire serait-il trop différent ? Se permettrait-il des comportements que je m'interdis ?

Je m'interroge : ne l'aurais-je pas inconsciemment conditionné à devenir ce qu'il est en le considérant comme tel ?

Se pourrait-il que je découvre en moi une attente inconsciente susceptible de susciter une telle habitude comportementale ?

Est-ce que je lui en veux de mon échec à être le parent que j'aurais voulu être ?

Un jugement dissimule une émotion ou un besoin. Un adjectif, au début raccourci de la pensée, devient vite une étiquette, un jugement.

Je prends conscience des émotions et besoins de mon enfant au lieu de le juger.

Je transforme chacun des adjectifs de ma liste en phrase.

« Timide » peut devenir « il a peur des autres » ou « il n'aime pas que je le contraigne à dire bonjour aux personnes qu'il ne connaît pas ».

« Paresseux » peut devenir « il ne veut pas me ressembler, il s'oppose à moi, il est en colère contre moi, il cherche à exister… » ; ou dans une autre direction : « il ne s'entend pas bien avec ses profs, il a été dégoûté de l'étude par des notes catastrophiques, l'enseignement ne lui convient pas » ; ou encore : « il a subi du harcèlement de la part d'autres garçons du collège, avoir de mauvaises notes lui permet de s'intégrer »…

Non seulement les qualificatifs posent des étiquettes que l'enfant peut avoir du mal à décoller par la suite, mais ils nous éloignent. Il est plus difficile d'aimer un « paresseux » qu'un enfant qui souffre et n'a trouvé que le moyen de la grève du travail comme solution ou même qu'un enfant qui par ce biais tente de s'opposer à nous.

Je constate combien me montrer attentif aux émotions et besoins de mon enfant me donne davantage de pistes pour l'aider à modifier son comportement que les adjectifs qualificatifs, jugements et étiquettes.

14. Maîtriser un accès de colère

J'ai envie de le passer par la fenêtre, de le massacrer…
   Nous avons le droit d'en avoir envie, pas de passer à l'acte !

« La dernière fois, je l'ai projeté contre le mur, je ne veux plus faire cela. Je ne veux plus le taper. »

« J'ai giflé ma fille quand elle m'a tenu tête, je me suis détestée. »

« J'ai crié sur mon fils, je lui ai dit des choses si méchantes ! Je m'en veux terriblement. »

Cela vous arrive aussi parfois ?

J'ai ressenti récemment une pulsion de violence envers…

Ma violence s'est exprimée par :
– des cris ;
– des coups ;
– des paroles dures ;
– une réaction d'isolement ;

— *du mépris ;*

— *le besoin de dominer, de contrôler ;*

— *une compulsion sexuelle ;*

— *autre…*

Quel était le déclencheur ? Quelle raison me suis-je donnée ?

Il m'arrive de l'insulter, de le taper…

Les insultes, les jugements sont des projections de nos émotions sur l'autre. Ce sont des prises de pouvoir sur l'enfant pour ne pas éviter de prendre contact avec nos souffrances enfouies.

Diminuer l'autre pour éviter de se sentir trop petit, le rabaisser pour se croire puissant, contrôler l'autre pour contrebalancer le sentiment d'impuissance…, telles sont les dynamiques à l'œuvre. C'est donc notre propre sentiment d'impuissance qui est à guérir.

Ai-je moi-même entendu des mots qui auraient pu me blesser ?

Dans ma vie d'adulte, de la part de :

— *mon conjoint ;*

— *ma belle-mère ;*

— *mes parents ;*

— *un ami ;*

— *un médecin ;*

— *autre…*

Dans ma vie d'enfant ?

Quelles dévalorisations ai-je entendues dans mon enfance ? Quelles étaient les insultes favorites de mon entourage ? Je me souviens de ces termes prétendument affectueux : « la grosse », « le nain »... Qu'est-ce que je ressentais ? Comment me suis-je protégé ? Lesquelles puis-je encore surprendre dans mon vocabulaire ?

Ai-je reçu des châtiments corporels dans mon enfance ?

Quel type de coups ? Petites tapes, gifles, fessées, coups de pied, coups de règle, martinet, ceinture, fouet, cravache ?

À quel âge ? Que disaient mes parents pour justifier les coups ?

Rien ne justifie que l'on frappe un enfant. Sentez combien cela vous a fait mal[1]. Vous avez le droit d'éprouver de la colère envers vos parents. Cela ne risque pas de les détruire..., juste de vous aider à vous libérer de la croyance en votre indignité et en la valeur des fessées[2]...

Si j'y réfléchis maintenant, qu'est-ce qui a vraiment motivé mon impulsion violente ?

Je me suis senti :

– impuissant ;

– dépassé ;

---

1. Pour aller sur ce chemin de guérison, vous trouverez un accompagnement plus important dans mon ouvrage *Je t'en veux, je t'aime*, éditions J.-C. Lattès ou Marabout.
2. Pour aller plus loin, vous pouvez lire les articles d'Olivier Maurel à cette adresse : http://www.editions-harmattan.fr/index.asp ?navig=auteurs& obj=artiste&no=1235.
Voyez aussi l'Observatoire de la violence éducative ordinaire : http://www.oveo.org.

    – *démuni ;*

    – *paniqué ;*

    – *remis en cause ;*

    – *attaqué ;*

    – *blessé ;*

    – *humilié ;*

    – *coincé ;*

    – *contraint.*

Quand, dans mon enfance, aurais-je pu vivre ces sentiments ?

La violence surgit par automatisme : « Ma main est partie sans moi », ou dans une impulsion de domination, une tentative de reprise de contrôle. Elle peut s'exprimer par des coups, des paroles dures, le rejet, le mépris. La vraie raison de l'exaspération est souvent cachée. Le parent s'est senti – ou plutôt a voulu éviter de se sentir – impuissant, démuni, paniqué, remis en cause, attaqué, blessé, humilié, coincé, contraint...

Vous êtes énervé, à bout, exaspéré : prenez conscience de votre violence, du ton de votre voix... Dans la mesure du possible, confiez l'enfant à une autre personne.

Quand on est à bout, le vrai courage est d'oser faire appel. Inutile de laisser la situation s'envenimer jusqu'à ce que nous en perdions le contrôle. Quand les parents ont la chance d'être deux, ils peuvent utiliser un code, par exemple crier « relais » pour déclencher l'intervention immédiate de l'autre. Confier l'enfant quelques heures ou quelques instants peut nous éviter des actes que nous regretterions ensuite. Quand on est seul, on peut demander de l'aide à une amie, un voisin, les grands-parents. Introduire une tierce personne ou téléphoner à une copine, pas forcément pour parler de la situation, juste le temps de revenir à soi. Quand on sent monter la température, il est temps de sortir, de voir d'autres têtes, d'échanger quelques mots avec un commerçant… Pour parler de tout et de rien, de la couleur des légumes… Vite, la poussette ! De plus, les autres interagiront avec l'enfant. Si vous avez du mal à supporter les « comme il est mignon », oseriez-vous dire « j'ai du mal avec lui, je suis sortie parce que je n'en pouvais plus, j'avais besoin de parler avec d'autres gens : elles viennent d'où, vos carottes ? ». Oui, mieux vaut embrayer rapidement sur un autre sujet. Peu de gens dans notre société savent accueillir la détresse, si vous ne dirigez pas rapidement leur attention vers une conversation à laquelle ils savent faire face, ils risquent de se sentir mal à l'aise, peut-être de culpabiliser l'enfant : « vilain garçon qui fatigue sa maman ! » et toutes sortes de choses que vous n'avez guère ni envie ni besoin d'entendre. Si vous avez la chance de tomber sur une personne empathique, elle reviendra d'elle-même à votre besoin : « C'est dur parfois, le face-à-face avec un enfant. »

Dans l'urgence

Ces propositions ne sont pas ordonnées, voyez celle qui vous convient le mieux dans chaque situation, c'est une panoplie d'outils et d'options à avoir toujours avec soi.

– *Je prends trois respirations profondes, j'imagine que j'envoie l'air jusque dans le bas de ma colonne vertébrale.*

– *Vite, la salle de bains… Un peu d'eau sur le visage, une bonne respiration en plantant bien les pieds dans le sol et en imaginant le parcours de l'air jusque dans le sacrum.*

– *Je passe un coup de fil à un(e) ami(e).*

– *Je sens le contact du sol sous mes pieds.*

– *Si ma fureur n'est pas trop grande, si je contrôle mes gestes, je touche mon enfant. Selon son âge, je le prends dans mes bras, sur les genoux ou je pose ma main sur son bras… Quand je le touche, je suis attentif aux sensations que ce toucher me procure. Je touche, non pas pour le rassurer même si cela aura peut-être cet effet, mais pour ralentir mon rythme cardiaque ! Je peux aussi caresser le chien, toucher un objet… (non : pas la cigarette…) en restant attentif aux sensations sous mes doigts.*

– *J'évoque mentalement un moment de joie et d'amour éprouvé avec l'enfant. Peut-être l'éblouissement de sa naissance, peut-être le dernier cadeau de fête des mères, peut-être un « je t'aime » tout doux… Je prends l'enfant dans mes bras, physiquement s'il est petit, mentalement si c'est un grand ado (quoique les ados et même les adultes ont parfois aussi besoin de câlins).*

– *Je ferme les yeux et je reprends contact avec l'amour que je lui porte… Des larmes risquent de couler alors, mais la porte de l'amour se sera ouverte. Je ne garde pas l'enfant trop longtemps dans mes bras. Dès que nous sommes tous deux calmés, je dirige son attention vers l'extérieur, vers un jeu, vers une activité. Même quand je fais le câlin mentalement, je le visualise, par exemple, en train marcher vers ses copains.*

Je craque dans la rue ?

J'aborde un passant, un commerçant, n'importe qui. Je parle à quelqu'un, de tout, de n'importe quoi. Le seul fait d'échanger avec un autre adulte devrait diminuer mon exaspération. Pas besoin de m'étendre sur ce que je vis. Je parle du temps qu'il fait.

Je laisse mon petit hurler à mes côtés le temps de me recentrer. Si vraiment c'est trop difficile, je n'hésite pas à demander de l'aide.

Les passants n'osent le plus souvent pas intervenir, cela ne signifie pas qu'ils n'en seraient pas désireux. « Aidez-moi » devrait être suffisant pour que le passant ou la passante s'accroupisse auprès du hurleur et lui parle. L'intervention d'un tiers est magique. Pourquoi ne pas y avoir recours ? Vous avez peur du jugement ? Ne vous jugeront que les personnes impuissantes à vous aider. En leur demandant de l'aide, vous les engagez, ils se sentiront utiles, tout jugement s'évanouira.

Dès que je suis revenu à moi, une question :

« Comment je me sens ? » ; et en toute authenticité, je formule la réponse à mon enfant en n'oubliant pas que je suis le sujet, je commence donc mes phrases par je. *(Je suis exaspéré, Je me sens démuni, J'ai peur…).*

La question suivante sera *« Quel est mon besoin ? »*. Mais la réponse peut être un peu longue à trouver. Notre premier réflexe étant fréquemment : « Mon besoin est qu'il se taise ! qu'il change d'attitude, qu'il travaille… » Or mon besoin ne peut concerner que moi, pas l'autre…

J'analyse

1. *Ma fureur est-elle proportionnée ?*

2. *Est-elle appropriée ?*

3. *L'expression de mon émotion est-elle productive ?*

Si la réponse est OUI aux trois questions, je l'exprime. Sinon, je mène l'analyse un peu plus loin.

Quelques clefs pour vérifier si l'émotion est proportionnée…

– Elle est proportionnée si elle permet à l'enfant d'entendre ma fureur sans avoir peur de moi. (Évidemment, il y a des enfants tellement habitués aux cris de leurs parents qu'ils n'ont plus peur…, cela ne signifie pas alors que la colère soit proportionnée.)

– Elle est proportionnée si elle est justifiée (nous trouvons toujours que nos colères sont justifiées, mais en cherchant bien…) et en rapport direct avec le problème.

– Elle est disproportionnée dès qu'elle devient violente ou accusatrice, dès qu'elle cherche à faire mal.

Ma colère est appropriée…

– Si j'ai subi une blessure, vécu une frustration, été victime d'une effraction de mon territoire, d'une injustice. Ma colère est donc appropriée si mon fils emprunte mes vêtements et les tache, pas s'il ne termine pas ses haricots verts, sauf s'il m'a privé en se servant.

– Si le problème m'appartient. Ma colère est juste si ma fille marche avec des chaussures boueuses sur le sol que je viens de laver, ce qui est mon problème, pas si elle a un deux en maths, ce qui est *son* problème, un problème pour lequel *mon* rôle est de l'aider.

Si elle est excessive, ma colère peut être…

– Le résultat d'une accumulation : « Ça fait vingt fois que je répète… » Répéter n'est pas une bonne solution. Si l'enfant ne change pas, c'est que quelque chose l'en empêche. Il se peut que le comportement en question ne soit pas sous son contrôle (par exemple se balancer sur sa chaise, se montrer hyperactif, avoir de mauvaises notes…), il a alors besoin d'aide. Ma colère le blesserait inutilement.

– Une projection sur l'enfant d'une colère envers une autre personne : envers qui pourrais-je éprouver de la colère ? Est-ce que je vis frustration ou injustice au travail, dans mon couple ou ailleurs ? Ai-je été blessé dans mon image de moi ? Envers qui étais-je en réalité en colère ? Soit j'exprime ma colère à la bonne personne, soit, s'il n'est pas approprié ou pas possible de le faire, je parle de cette colère à une personne de confiance. Quand j'ai partagé mes sentiments de frustration ou d'injustice, je suis suffisamment soulagé pour ne pas risquer de projeter à nouveau la fureur sur mon enfant.

– La décharge d'une émotion réprimée juste avant : qu'est-ce qui s'était passé juste avant ? Je libère cette émotion réprimée ou au moins j'en prends conscience et j'en parle à une personne de confiance.

– La transformation d'une crainte qui concerne ou non l'enfant, et peut ne rien avoir avec lui : qu'est-ce que j'anticipais… J'identifie mes craintes, j'en prends la responsabilité. J'en parle avec une personne de confiance. Je ne reste pas dans la peur, pour ne pas risquer de me mettre de nouveau en colère injustement.

– Une conséquence de mon épuisement physique et/ou moral. Je prends conscience de l'état de burn-out dans lequel je suis. Je cherche de l'aide en urgence. Une aide matérielle, concrète, le plus vite possible ! Si mon épuisement est surtout physique, j'accepte l'aide des autres. Si mon épuisement est d'ordre moral, je parle à une personne de confiance de ce que j'endure et qui m'épuise. J'identifie mes besoins. J'établis des priorités. Je demande la participation de l'autre parent et, en son absence, à une autre personne, famille ou ami.

— Liée à l'expression d'un syndrome prémenstruel. Je bois une infusion de sauge et je laisse passer la tempête en restant consciente de son origine hormonale. Mon enfant n'est pas en cause !

— Le réveil d'une émotion de mon passé. Aurais-je fait la même chose que mon enfant au même âge ou en aurais-je eu la tentation sans avoir jamais osé le faire ? Qu'auraient dit mes propres parents si j'avais eu, enfant, le comportement qui me met si en colère ? Pour vaincre cet automatisme, il est temps d'en chercher l'origine.

15. Vaincre un automatisme du passé

1. J'écris ma réaction le plus précisément possible. Par exemple : j'ai crié « espèce d'idiote ».

2. J'écris les sentiments, les mots qui vont avec... Sur le papier, je me lâche, je dis ce que je n'oserais pas dire à l'enfant. Je dis pour m'aider à faire des liens par la suite avec mon histoire. Par exemple : je me suis senti trahi, démuni, nul, j'avais envie de la pulvériser...

3. J'identifie le déclencheur : quoi exactement, quel moment, quelle interprétation de quel comportement a déclenché mon ire ? Exemples de déclencheurs : il m'a regardé dans les yeux/il a baissé les yeux/elle m'a tourné le dos/je me suis sentie impuissante/elle est passée devant moi.

Je regarde ce déclencheur. Qu'est-ce que cela me rappelle ? Qu'est-ce que cela évoque en moi ? Je me répète le déclencheur plusieurs fois en mettant « on » à la place du sujet. Par exemple, au lieu de « Mon enfant me dit que je suis méchante », « On me dit que je suis méchante ». La question suivante est « Qui m'a dit ou fait comprendre que j'étais méchante ? ».

Je reviens au point 1. Ma réaction ressemble-t-elle à une de celles que j'ai pu voir chez l'un de mes parents ? Un frère ou une sœur aînée, un grand-parent ou une autre personne de référence de mon enfance ? Ou est-ce une réaction qui m'était familière quand j'étais jeune ?

Je regarde ce que j'ai écrit en 2. Sont-ce des idées, des sentiments qui me sont familiers ?

Quand ai-je déjà éprouvé cela ?

Une fois que les motivations réelles de la colère sont identifiées, la fureur exagérée contre l'enfant tombe. Quelques excuses et une discussion avec l'enfant sur ce qui s'est passé et ce que chacun a ressenti pourront rétablir la relation.

16. Vous avez commis l'irréparable ?

Q uand on a été violent, ce n'est pas irréparable. Penser avoir commis l'irréparable nous empêche de restaurer la relation. Pour réparer, la première étape est de prendre conscience de son geste. Eh oui, s'accepter comme violent est difficile. Nous avons tendance à minimiser, accuser l'enfant…

Ensuite il s'agit de comprendre ce qui a réellement motivé notre geste, au-delà du déclencheur. Nous en avons besoin pour libérer notre victime du poids de la culpabilité.

Puis il s'agit de prendre conscience de ce qu'a pu ressentir notre victime. Plutôt que des excuses, elle a besoin d'empathie et d'explications. La victime est en droit d'être en colère contre nous. Un peu de temps lui est nécessaire pour prendre contact avec ses émotions et oser formuler combien elle a eu peur, s'est sentie blessée et est en colère. Laissons-lui ce temps. Ensuite seulement nous pouvons lui expliquer ce qui s'est passé en nous.

Les explications l'aideront à cesser de se sentir responsable de nos accès de fureur. Le plus souvent cet échange authentique sera suffisant pour réparer le préjudice à condition de vraiment mesurer la blessure, les émotions de l'enfant sans minimiser, sans chercher d'excuses ou se justifier.

Cochez votre attitude la plus courante :

1. Je sais prendre le temps d'écouter et de mesurer à quel point je lui ai fait mal, je suis attentif à réparer notre relation.

2. Je m'excuse et je passe à autre chose.

3. Je reconnais le côté disproportionné, mais je refuse de m'excuser face à un enfant.

4. Je ne sais pas comment m'excuser.

5. Pas question que je m'excuse. C'est à lui de s'excuser !

Vous avez coché...

1. Vous êtes en contact avec vous-même et avec lui. Votre enfant saura qu'il peut avoir confiance en vous.

2. Que cherchez-vous à éviter ?

3. Vous êtes encore piégé(e) dans le jeu de pouvoir. Vous n'avez probablement pas encore découvert ce que cette fureur exprimait de votre propre histoire. Vous voulez conserver votre pouvoir sur votre enfant comme vos parents avaient du pouvoir sur vous. Et ce d'autant plus que vous vous êtes sentie impuissant(e). C'est comme une vengeance de votre histoire. Mesurez combien, en réalité, c'est contre vos parents que vous êtes en colère. Sachez que votre enfant n'est probablement pas dupe. Petit, vous aurez peut-être l'impression que votre attitude est efficace parce qu'il aura peur de vous et que peut-être vous interpréterez cela comme un résultat positif. En réalité, il sera juste soumis. Plus grand, il mesurera votre manque de sécurité intérieure. Dans tous les cas, il saura qu'il ne peut vous faire confiance.

4. Le plus simplement possible, en vous centrant sur lui et sur ce qu'il a pu vivre en subissant votre accès de fureur, et en lui expliquant ce qui s'est passé en vous : « Je

m'excuse, je mesure combien tu as dû te sentir très mal quand j'ai crié tout à l'heure, tu as peut-être eu peur de moi… ma réaction était exagérée. En fait, j'ai crié sur toi, mais j'étais en colère déjà avant. J'ai eu une journée très difficile au travail (si c'est le cas, ne jamais inventer) et je suis rentrée furieuse. Quand je t'ai vu poser ton manteau sur la chaise, j'ai éclaté. C'est vrai que tu aurais pu mettre ton manteau dans l'entrée, mais ma réaction était disproportionnée. » C'est long ? C'est vrai, cela prend un peu de temps, et cela va vous permettre d'en gagner beaucoup par la suite !

5. Vous êtes encore en colère. Si la fureur reste active et projetée contre l'enfant, c'est un signal. Soit il reste des zones d'ombre, soit vous avez minimisé l'importance d'une émotion. Qu'est-ce qu'un enfant dans cette situation que vous avez vécue dans le passé ressentirait ? Tristesse, colère, terreur, désespoir, dégoût… Oui, vous avez pu éprouver tout cela. Vous n'aviez peut-être pas le droit ou pas la possibilité de l'exprimer quand vous étiez petit, mais les émotions sont encore inscrites en vous.

Chaque fois que nous nous laissons aller à un geste violent, nous blessons non seulement notre enfant, mais enfermons l'enfant en nous un peu plus.

Quand nous blessons nos enfants, nous nous blessons aussi. Quand nous leur envoyons un message d'amour, nous nous sentons nous-mêmes remplis d'amour. S'il nous arrive à tous d'être un jour la proie d'une impulsion de haine, on a toujours le choix entre le message d'amour et le message blessant. Il est fondamental de se souvenir de ce choix possible. Quand les impulsions haineuses sont trop fortes, quand on n'arrive plus à contrôler sa rage, quand on a le sentiment de ne pas avoir le choix de son attitude face à son enfant, il est urgent de consulter.

Cette fouille à la racine de nos comportements, c'est le travail d'un psy. Il saura nous accompagner[1]. La tentation est forte de se dire « ce n'est qu'un passage, quand il grandira, ça ira mieux, ce n'est pas si grave »… Mais, c'est grave ! Pour nos enfants, pour nous, pour notre couple, pour notre présent, pour notre et leur avenir.

On peut s'en passer, mais c'est vraiment dommage de ne pas être plus heureux alors qu'on pourrait l'être, de ne pas avoir une belle image de soi en tant que parent. Et notre passé n'est pas si difficile à guérir. Ne le laissons pas empiéter sur notre relation à nos enfants.

---

1. De nos jours, il existe une importante offre en termes de psy. Chaque type de thérapie a ses indications. Certains professionnels installés ont reçu une solide formation, d'autres non. Pour faire le tri, les diplômes ne sont hélas pas des références fiables. Allez en voir trois. Écoutez vos impressions. Un bon psy, c'est un psy qui sait vous écouter, bien sûr, avec lequel vous vous sentez en confiance, c'est aussi une personne solide qui n'aurait pas peur de vos parents.

17. JE N'ARRIVE PAS À AIMER MON ENFANT

Quelque chose a fait ou fait encore obstacle à l'épanouissement de mon amour pour mon bébé. Pour lever l'obstacle, cherchons.

Identification du blocage

Quoi ou qui m'en empêche ?
Parmi ces six possibilités laquelle me parle ?
1. Mon passé : je n'ai moi-même pas été aimée.
2. Ce n'est pas mon bébé, c'est le bébé de mes beaux-parents/ de mes parents.
3. Les conditions de sa conception ou de sa naissance.
4. L'attitude de son père.
5. Il est difficile à aimer (caractère, handicap…).
6. Je ne sais pas pourquoi.

Quelques pistes pour lever le blocage dans chaque cas

Selon ce que vous avez coché, reportez-vous au chiffre correspondant.
1. L'exercice de la guérison de l'enfant intérieur est tout indiqué. Voir p. 260.

2. *Je place mentalement mes parents ou beaux-parents face à moi, je peux utiliser une photo d'eux, je m'entraîne à leur dire NON. Même si j'ai conçu cet enfant en pensant leur faire plaisir ou en me soumettant à leur désir, aujourd'hui je reprends mon rôle de père/mère, c'est mon enfant, ce n'est pas le sien ou le leur. Concrètement, je peux prendre de la distance vis-à-vis d'eux, le temps de me réapproprier ma relation à mon enfant. Je parle à l'enfant, qu'il soit nourrisson de deux jours ou bambin de trois ans, je lui dis dans quelles conditions je l'ai porté, et comment je veux la relation aujourd'hui. C'est un nouveau départ pour un nouveau lien.*

3. *J'identifie mes sentiments, mes émotions, mon ambivalence lors de la conception/de la naissance/d'un autre moment qui a fait basculer ma relation. Il y a probablement quelqu'un envers qui j'étais en colère sans peut-être avoir jamais osé me l'avouer… Contre qui ? Je lui écris : je t'en veux de… Je me libère sur le papier. Un jour, quand je serai prêt, je lui écrirai ou je lui parlerai de mon vécu, mais cette première lettre de libération va partir en fumée. Je regarde la flamme brûler ma colère. J'accepte de laisser s'apaiser en moi ces émotions que je portais. J'observe alors ce qui change dans ma relation à mon enfant.*

4. *J'identifie ma colère contre mon conjoint. J'en prends la responsabilité. Que l'attitude de l'autre parent me convienne ou non, il n'est pas juste de la laisser influer sur la relation à mon enfant.*

5. *À quoi sa différence, sa particularité me renvoie-t-elle ? Est-ce difficile physiquement, émotionnellement ? S'agit-il d'un problème avec mon image de moi ? Est-ce que je reçois suffisamment de soutien ?*

6. *Je continue l'introspection. Qu'est-ce que je n'aimerais surtout pas découvrir ?*

18. J'ÉCRIS À MON ENFANT

Il est utile de commencer par lui écrire une lettre que nous n'enverrons pas. Mettre sur papier aide à clarifier ses émotions. Il est important de sortir tout le venin pour pouvoir éprouver l'amour. Sinon, le venin contamine l'amour et on n'arrive pas à aimer. Le sentiment de culpabilité, la honte sont inutiles. Regardons la réalité.

J'ai le droit de lui dire ma colère (sur le papier). Je m'adresse à lui, mais hors de sa présence.

Par exemple : je t'en veux d'être né. À cause de ta naissance ton père est parti… Cette première lettre, je la brûle. J'en fais une deuxième, puis peut-être une troisième, jusqu'à ce qu'en me relisant je constate que toutes les accusations sont tombées et qu'en revanche je lis mes émotions.

Dans cette première partie, je lui raconte tout, comment les obstacles m'ont éloignée de lui, comment j'ai envie de rétablir le lien, et d'apprendre à l'aimer.

Je prends ensuite la mesure de son vécu à lui. « Tu as dû te sentir terrorisé, abandonné, seul… Je mesure combien j'ai dû te manquer, j'accueille ta colère. »

J'accueille sa colère

Que j'aie parlé à mon enfant directement ou non, à partir du moment où j'ai fait ce travail, je permets à mon enfant de me dire sa colère. Il va le faire. Pas forcément directement, surtout s'il est petit, mais il va souvent manifester sa fureur. Je l'écoute : « Je comprends que tu sois en colère, tu as le droit, je t'ai tellement manqué… »

Cette étape est fondamentale et trop souvent sautée parce que inconfortable.

Je rétablis le contact tendre

Je saisis toutes les occasions de provoquer un contact physique. Et lorsque je le touche, que je le prenne dans les bras si c'est un bébé ou que je sente son épaule contre la mienne pendant que nous regardons ensemble la télé, s'il est plus grand, je respire, et je me prolonge à l'intérieur de lui tout en l'accueillant à l'intérieur de moi.

Je répare, je corrige

Il est toujours possible de reprendre l'étape de développement. Le besoin est toujours là. Par exemple, je n'ai pas su faire face à la période du NON : j'augmente le nombre de choix, je propose des choses auxquelles je sais que l'enfant va dire non. Je l'entraîne à s'opposer à moi en proposant des choses qu'il n'aime pas. « Tu veux venir avec moi au super-marché ? »

Il est toujours temps de guérir le passé. Vous constatez que votre enfant manque de confiance en lui, ou, avec le recul, vous prenez conscience d'avoir été particulièrement sévère, inattentif ou incapable de donner à une période de sa croissance. Vous pouvez encore réparer. En parler, le reconnaître, écouter les plaintes de votre enfant, ses frustrations, mais aussi réparer. Donner ce que vous n'aviez pas su donner. Du contact physique, de la tendresse, des mots doux, des encouragements, des permissions, de la protection, des choix, des occasions de s'opposer…

19. Il m'accable de reproches

Il est furieux, tout à coup la phrase claque : « De toute façon, tu ne m'as jamais aimé ! »

Douche glacée pour le parent ! L'adolescence n'est pas seulement un grand chamboulement hormonal, c'est aussi une période de remaniement psychique. Les blessures du passé, les émotions enfouies ressortent. Pas simple pour le parent de faire le tri, surtout quand personne ne l'a aidé, lui non plus. Les adolescents qui vont particulièrement mal ont tendance à chercher à faire taire ces émotions qui hurlent en eux par toutes sortes de moyens plus ou moins légaux. Scarifications, douleur physique pour ne pas sentir la douleur morale. Anorexie, boulimie, abus de stupéfiants… sont autant de stratégies pour ne pas sentir[1].

Parfois, l'enfant ne dit rien. Il s'éloigne. Jeune adulte, il part vivre loin. Il fait des choix de vie à l'opposé de ceux de ses parents (tiens, que leur dit-il ?) Il y a plusieurs manières de s'éloigner de ses parents, on peut s'en éloigner physiquement, affectivement, intellectuellement, financièrement, moralement…

---

1. Je simplifie, nous nous centrons ici non pas sur les enfants mais sur ce qui se passe pour nous parents.

Lorsque nos enfants sont adultes, nous pouvons avoir l'impression d'avoir terminé notre travail. C'est faux. Nous avons encore une grande influence sur eux. Elle peut être consciente ou inconsciente.

Il arrive que nos enfants coupent les ponts, qu'une fois marié et père ou mère à leur tour, ils refusent tout contact avec nous, ne nous permettant pas de voir nos petits-enfants... Ce n'est pas sans raison. Des non-dits creusent encore la relation.

Au lieu de me défendre ou de me justifier, je tente de savoir ce qui se passe pour lui/elle. J'opère un retour sur moi : quelle est ou a été ma réalité ? Comment ai-je aimé mon enfant ? À quel moment aurais-je pu être envahi par des réactions émotionnelles qui m'auront peut-être fait manquer d'attention envers mon enfant, ce que ce dernier aurait pu interpréter comme un manque d'amour à son égard (deuil, peurs, dépression...) ?

J'accepte de considérer le grain de vérité dans ce qu'il ou elle dit. Comment et à quel moment a-t-il pu avoir l'impression que je ne l'aimais pas ? À quel moment je n'ai pas su le protéger ? Qu'est-ce qui a pu lui manquer pour grandir en confiance ? Qu'est-ce qui a pu lui faire mal ?

Aurais-je privilégié parfois mon pouvoir sur lui au détriment de l'écoute de ses besoins ?

Aurais-je pu respecter mes certitudes éducatives davantage que ses besoins affectifs ?

Aurais-je pu chercher à faire taire ses émotions au lieu de les entendre ?

À quoi ai-je obéi dans mes actes ? À mon histoire, à ma belle-mère, au pédiatre, à mon mari/ma femme, à un livre, ou aux besoins de mon enfant comme de moi-même ?

20. JE PARLE À MON FŒTUS

Vous n'avez pas su, pas pu parler à votre fœtus quand il était dans votre ventre ? Que votre tout-petit ait maintenant quatre ou quarante ans, cet exercice ne sera pas inutile. Bien sûr, vous n'allez pas aller lui parler en direct tout de suite, mais vous pouvez le symboliser par une peluche, un coussin (attention à ne pas utiliser un coussin qui servirait aussi à déverser parfois votre colère), choisir une photo de vous enceinte ou l'échographie, faire un dessin de lui... Vous pouvez prendre ce symbole sur vos genoux ou le poser face à vous, selon ce qui est le plus confortable pour vous. Parlez d'abord à la jeune femme que vous étiez, dites-lui votre compassion, votre empathie pour ce qu'elle vivait. Puis, redevenez cette jeune femme et parlez à votre fœtus. Il se pourrait bien que des larmes viennent. Laissez-les couler, elles sont les bienvenues. Inutile de les refouler. Si elles viennent, c'est qu'elles étaient là, en vous. Et les larmes qui ne sortent pas font des dégâts à l'intérieur. Vous n'aurez pas forcément besoin de parler jamais à votre enfant de ce travail de réconciliation avec vous-même et de votre ambivalence face à ce fœtus qu'il était. Vous percevrez probablement un changement dans votre relation : pas une grande transformation, mais un peu plus de liberté, de tendresse, de proximité, d'intimité. Vous aurez moins peur de ses réactions. Tout ce que vous pourrez clarifier pour vous éclaircira la relation.

Il se peut aussi que votre maman ne vous ait jamais parlé quand vous étiez dans son ventre. Vous pouvez imaginer ce petit enfant que vous étiez dans l'utérus et vous, l'adulte d'aujourd'hui, lui donner mentalement les paroles, la tendresse qu'il n'a pas eue à l'époque. Vous êtes libre de câliner votre enfant intérieur autant qu'il en a besoin. Ce sera plus facile, ensuite, de parler à votre bébé dans votre ventre.

Les scientifiques l'ont montré, l'enfant entend sa maman même si elle se contente de lui parler en pensée. Il entend aussi bien sûr si on lui parle à haute voix. Il aime entendre les vibrations de la voix de ses parents et, de plus, parler aide les parents à clarifier leurs pensées. Le langage oblige à mettre les mots les uns après les autres. Parler permet de mettre en ordre. Parler à son fœtus n'est pas seulement utile pour lui mais pour soi. Pour mettre les choses à plat, oser se formuler l'indicible qui sinon risquerait de faire obstacle à une bonne relation avec le bébé, puis avec l'enfant grandissant.

Je parle à cette petite vie qui grandit à l'intérieur de moi. Je lui parle de tout, de rien, de moi, de lui, de mon histoire et de la sienne.

C'est difficile ? Il arrive que nous ayons si peur de ce que nous risquons de découvrir en nous que nous préférons ne pas le savoir. L'ambivalence, c'est-à-dire le fait d'éprouver des sentiments contradictoires, est naturelle. Mais comme nous n'avons guère eu ni la permission d'exprimer ce que nous vivions ni l'expérience d'être acceptées dans nos colères ou nos peurs, le jugement s'interpose souvent. « Si je me sens en colère contre mon bébé, c'est que je suis une mauvaise mère. »

Nous aimerions ne trouver en nous que de l'amour et de la tendresse... C'est irréaliste. Nous sommes des humains. Nous avons un passé, une histoire avec ses richesses mais aussi ses blessures. Notre situation maritale, familiale ou professionnelle n'est pas forcément facile à vivre. Bref, nous avons toutes sortes de raisons pour ne pas être qu'amour. L'amour et la tendresse sont là *et* la peur, la colère, la frustration... Tout a besoin d'être conscientisé sous peine, pour le coup, de saboter l'amour.

Parler permet de regarder tout cela, de l'accepter, de le traverser pour ne pas en faire pâtir notre relation à l'enfant.

21. Lui raconter sa naissance

Avant de raconter sa naissance à son enfant, il est utile d'écrire pour analyser et éventuellement guérir ce qui serait à guérir. Il ne s'agit pas de déverser nos rancœurs, mais de partager cette partie de notre histoire qui le concerne. Offrons une version non pas expurgée mais digérée. En psychologie, on dit « perlaborée ». C'est-à-dire que nous aurons identifié et traversé les émotions, donné du sens. La douleur n'est pas brute. Les mots posés dessus auront permis de l'élaborer quelque peu.

Écrire

Par où commencer ? Vous pouvez écrire tout ce qui vous vient, en vrac, vous ordonnerez les choses plus tard. Écrivez l'avant, le pendant et l'après.

À la lecture du chapitre sur l'accouchement, des images, des sensations, des odeurs, des sentiments, des pensées ont pu surgir. Vous avez peut-être déjà identifié ce qui a pu vous rester en travers de la gorge. Si c'est le cas, progressez directement au point suivant.

Sinon, posez-vous ces questions...

– Vous êtes la maman

Comment je me suis sentie ?

Étais-je présente, vraiment présente...

1. À moi-même ?

2. Au père de l'enfant ?

3. Au bébé ?

4. À ce qui se passait ?

Qu'est-ce que j'ai aimé ? Moins aimé ?

Comment ai-je vécu la douleur ?

Me suis-je sentie bien accompagnée ?

Quelles étaient les émotions présentes en moi ? Peur, colère, tristesse, amour, dégoût ? Ai-je pu exprimer ces émotions, en ai-je même eu conscience ?

Aurais-je eu motif à peur, tristesse ou colère ?

Cet accouchement s'est-il déroulé comme je l'avais rêvé ?

Comment je me suis sentie avec mon tout petit bébé ?

Comment ai-je partagé cet instant avec le papa ?

Qu'est-ce qui m'a manqué ?

– Vous êtes le papa

Comment je me suis senti ?

Étais-je présent, vraiment présent…

1. À moi-même ?

2. À ma femme ?

3. Au bébé ?

4. À ce qui se passait ?

Quelles étaient les émotions présentes en moi ? Ai-je exprimer ces émotions, en ai-je même eu conscience ?

Aurais-je eu motif à peur, tristesse ou colère ?

Ai-je le sentiment d'avoir accompagné ma femme ?

Comment l'ai-je soutenue ? Ai-je écouté ses émotions ?

Comment je me suis senti face à la douleur de ma femme ?

Comment je me suis senti face au sexe ouvert et ensanglanté de ma femme ?

Comment avons-nous partagé cet instant avec ma femme ? Me suis-je senti inclus ?

Cet accouchement s'est-il déroulé comme je l'avais rêvé ?

Qu'est-ce que j'ai aimé ? Moins aimé ?

Comment je me suis senti avec ce tout petit bébé ?

Qu'est-ce qui m'a manqué ?

Trois étapes pour guérir le passé

1. Guérir à l'intérieur

Une fois la peur, la tristesse ou la colère identifiée, écrivez-la. Dites-la à une personne de confiance, votre mari, une amie… Si les larmes viennent, tant mieux. Laissez-les couler jusqu'au bout. Vous n'avez pas besoin de ces émotions à l'intérieur de vous. Mettez-les à l'extérieur. Si les émotions sont trop fortes, si la blessure est encore active, parlez-en à votre psychothérapeute, il vous aidera à la guérir.

2. Restaurer le couple parental (si possible)

Une fois le tri fait dans votre vécu, si vous le partagiez avec l'autre parent ? Il est utile de lui proposer tout d'abord de faire le même travail de son côté. Les blessures, les sentiments refoulés lors d'une naissance n'altèrent pas seulement la relation à l'enfant, mais celle du couple. La relation sexuelle peut s'en ressentir. Il n'est pas toujours facile d'oser se parler. Les sentiments de culpabilité mêlés à la rancœur ont tendance à faire des nœuds. C'est pourquoi il vaut mieux se débarrasser au préalable de tout jugement envers l'autre comme envers soi en libérant ses émotions sur le papier ou si besoin à l'oreille d'un psychothérapeute.

Quand les sentiments sont devenus ressentiment, quand la charge affective est trop forte, il est alors utile et pertinent de prendre une séance de couple avec un psychothérapeute. La présence d'un tiers est si facilitante, pourquoi s'en priver ?

3. Parler à l'enfant

Inutile de se précipiter. Une fois le travail de clarification et de guérison opéré pour soi, le moment de réparation pour l'enfant vient en son temps. On peut saisir l'occasion d'une question de l'enfant, d'une émotion forte qui semble être en lien, d'un moment d'intimité autour de photos, de la lecture d'un livre, d'une émission de télévision... Il s'agit de partir du moment et du besoin de l'enfant plutôt que de notre propre envie de parler.

Quand les émotions sont trop lourdes, la présence d'un tiers est souhaitable. On pourrait craindre que l'introduction d'une tierce personne majore l'importance d'un événement. En réalité, cette présence tierce (pour autant qu'elle soit empathique et sans jugement) sécurise, diminue les peurs autour de cet échange émotionnel et donc favorise l'expression comme la réception.

22. Il est toujours temps de réparer ses erreurs

Quand un parent réussit à affronter son histoire, comme Samira : « En tant que mère, j'ai dû accepter de faire le deuil de mon image de mère idéale, accepter la réalité de l'échec. J'ai une responsabilité dans ce que sont devenus mes enfants. Ils ne me gratifient pas. Ils ne sont pas tels que je les aurais voulus. Ils n'ont pas pu le devenir. Nous étions dans la même galère. »

Samira a été très autoritaire avec ses trois enfants. Elle reconnaît ses erreurs. Elle regrette de ne pas avoir su se montrer plus tendre, d'avoir été si intransigeante quand ils étaient petits. Aujourd'hui, elle les a perdus. Pas tout à fait. Après une période de distance, ils se sont rapprochés. En fait, elle s'est rapprochée. Elle a beaucoup parlé avec eux. D'eux. D'elle. Yeux dans les yeux, elle a humblement reconnu sa part de responsabilité. Elle leur a exprimé ses regrets de ne pas avoir su faire autrement. Et surtout, elle s'est mise à l'écoute. Elle a eu le courage de mesurer dans son cœur leur souffrance face à son autoritarisme. Elle n'a plus nié, ni les faits ni le mal que cela leur avait fait. Elle a raconté aussi son histoire personnelle. Aujourd'hui, sa relation avec ses enfants est très belle. Sa fille aînée ne voulait plus ni lui parler ni la voir. Elle vient désormais avec plaisir passer du temps avec elle.

23. FAIRE LE POINT

Vous avez déjà rempli ce questionnaire en page 231. Vous avez réfléchi à ces points au tout début de cette aventure intérieure. Maintenant que vous arrivez au terme de ce livre, il est intéressant de vous observer par rapport aux mêmes questions. Après avoir noté vos réponses, reportez-vous à vos premières réponses... et mesurez votre évolution (toujours avec tendresse et respect).

Pendant quelques jours, observez vos réactions face à votre enfant...

— Combien je passe de temps effectif avec lui ? C'est-à-dire centré sur lui, à jouer, parler, le câliner... sans compter le moment où je prépare le dîner pendant que je surveille les devoirs d'un œil distrait.

— Comment je l'inclus dans mes activités ? La cuisine, le ménage, les comptes...

— Comment je le nourris ? Trop, normalement, équilibré, bio, au fast-food, quand il veut, à heures fixes, sans faire attention...

— Comment je l'embrasse ? Sur les joues, sur la bouche, partout, tendrement, du bout des lèvres, tout le temps, jamais...

— *Comment je le touche ? Pour le soigner et le laver uniquement, en le massant, en le câlinant, en le faisant sauter sur les genoux, en le frappant...*

— *Et comment je me sens dans ce toucher ? Froid(e), chaleureu(x)se, aimant(e)...*

— *Comment j'écoute ses émotions ? Pas du tout, seulement les rires, pas les pleurs, ou seulement les pleurs, pas les colères ; toutes les émotions...*

— *Comment je gère ses incartades ?*

— *Comment je refuse : jamais, maladroitement, avec peur de perdre son amour ou, au contraire, trop souvent ?*

— *Comment je l'encourage à s'éloigner ?*

— *Comment je l'aide et comment je le laisse grandir ? Trop, pas assez... J'observe ce que je fais pour lui (le laver, lui couper la viande, le servir, faire son lit, ranger son linge...), puis je me demande : « Serait-il capable de faire cela seul ? »*

— *Comment j'écoute ce qu'il raconte de sa vie, ses jeux, ses copains ? Distraitement, avec intérêt, brièvement, longuement en faisant autre chose ?*

— *Comment je lui parle de moi et de ma vie ?*

— *Comment j'accepte qu'il grandisse et s'éloigne de moi, et qu'il soit différent de moi ?*

Mes points forts, ce que j'aime de moi dans ma relation à mes enfants :

Mes points faibles, ce que je n'aime pas de moi :

Les situations dans lesquelles j'ai tendance à me sentir impuissant(e) ou démuni(e) :

Mes convictions éducatives :

Celles de mes parents :

Quelques-unes de mes réactions typiques face aux « bêtises » et non-respect de nos contrats :

Face à ses cris :

Aux bagarres entre frères et sœurs :

Aux refus :

À la colère :

Aux pleurs :

Quand je suis exaspéré(e), je…

Je repère trois situations ou comportements de mon enfant qui m'énervent :

J'écoute ce qui se passe en moi dans ces moments-là :

Je me sens…

J'ai envie de…

Ça me rappelle…

Les réactions que j'aimerais avoir :
Ce que j'ai changé de plus important :
Ce que cela m'a apporté et a apporté à notre relation :

Je me sens au contact de moi et de mon enfant.

CONCLUSION

À quoi sert donc de se poser tant de questions ? Est-ce qu'un parent n'a pas tout simplement intérêt à agir avec spontanéité ? À chacun de voir, et à condition de ne pas oublier que ce que nous nommons spontanéité n'est guère que de l'automatisme. Pour ma part, chaque fois que j'arrive à trouver une autre manière de m'adresser à mes enfants que les cris ou la culpabilisation (car cela m'arrive encore), j'y trouve un fantastique bénéfice en termes de qualité relationnelle mais aussi en termes d'efficacité ! Que d'économie de salive quand on peut éviter de répéter vingt fois la même chose ! L'attention aux réels besoins de l'enfant, la compréhension de ce qui se passe pour lui ou pour moi, une discussion de cœur à cœur sont bien plus efficaces que privations et gronderies. D'autant que nous induisons souvent par nos attitudes éducatives les comportements mêmes que nous voudrions bannir.

Au nom de quoi continuer à blesser ceux qui nous sont les plus chers au monde ? Certes, ils ne nous le reprocheront peut-être pas directement, les enfants ont tendance à pardonner à leurs parents. Ils mettront de la distance. Mais surtout nous risquons de nous le reprocher à nous-mêmes un jour.

Se poser des questions, revenir sur sa propre histoire, décoder ses interventions, tout cela semble nécessiter beaucoup d'efforts. En réalité, il en faut bien moins que pour fonctionner sans y penser. Nos automatismes ne nécessitent certes pas d'attention particulière, mais ils nous coûtent cher. Soyons honnêtes, faire la guerre à ses enfants est dispendieux en temps et en énergie. Donner des ordres, crier, gronder, refuser les caprices… Tous ces jeux de pouvoir qui dégénèrent régulièrement en batailles rangées sont épuisants. Et puis ils détériorent notre image de nous-mêmes. Car il faudrait le dire davantage, c'est très éprouvant pour le parent d'être mis en échec. Or si punir, taper, humilier, culpabiliser, dévaloriser un enfant arrive un jour ou l'autre à tous les parents, ce ne sont pas pour autant des méthodes éducatives efficaces.

Observons nos débordements sans jugement, ce sont des portes d'entrée vers nos souvenirs. Sous la gifle qui part trop vite, il y a une blessure. Sous une parole trop dure, un drame de notre histoire. Sous notre exaspération, une fureur rentrée, ou peut-être une information sur notre situation professionnelle et sociale.

« Quand il a eu son cancer, j'ai regretté toutes les fois où je l'ai grondé, j'ai regretté de ne pas avoir passé assez de temps avec lui. D'avoir été exigeant au lieu d'être tendre. » Cette phrase d'André me revient quand je suis tentée de hurler sur mes enfants. J'ai tant de chance qu'ils soient en bonne santé.

N'attendons pas une maladie, un accident, pour nous rendre compte que, la seule chose qui importe vraiment, ce sont nos liens aux autres, l'amour partagé. Le temps des enfants passe très vite. Jamais plus ils n'auront cinq ans, six ans, dix ans, quatorze ans… Nous n'avons que vingt toutes petites années à passer avec eux sur les quelque quatre-vingt-dix de notre existence. Chaque instant de bonheur est un instant de gagné.

Ce livre est loin d'avoir épuisé le sujet, j'espère qu'il vous aura donné quelques pistes de réflexion, qu'il aura posé un éclairage différent sur les conflits qui vous opposent à vos enfants. Reste le plus difficile et aussi le plus passionnant : accomplir votre propre plongée dans l'inconscient à la rencontre de vous-même et de vos enfants.

Mes remerciements vont :

– à Laurent Laffont qui, il y a quelques années, lors d'un déjeuner, a déposé en moi des questions qui ont lentement mûri dans mon cerveau et finalement pris forme dans ce livre ;

– à Isabelle Laffont et Anne-Sophie Stefanini, qui, par leur exigence, m'ont fait réécrire mon manuscrit jusqu'à cette mouture que vous avez entre les mains ;

– à mon père, Rémy Filliozat, qui sans se lasser a relu et corrigé les différentes versions ;

– à Ludmilla, pour sa générosité en temps et son intelligence des mots dans la correction du manuscrit ;

– à Anouk Dubois pour ses merveilleux dessins et son enthousiasme ;

– à Olivier Maurel pour son travail sur la violence éducative ;

– à tous ceux et celles qui m'ont confié les difficultés rencontrées dans leur relation à leurs enfants.

TABLE DES MATIÈRES

II.
LES CAUSES DE NOS DÉBORDEMENTS

III.
QUESTION D'ÂGES

IV.
COACHING BOOK

Achevé d'imprimer en décembre 2019 par Liberdúplex en Espagne

Pour le compte des Éditions Marabout (Hachette Livre)

58, rue Jean Bleuzen, 92178 Vanves Cedex

Dépôt légal: mai 2019

ISBN: 978-2-501-13948-9

4011429-Ed.02